최신
개정판

· 중학교 졸업자격 검정고시 ·

검정고시의 정석

과학

편집부저

도서출판 국자감
www.kukjagam.co.kr

목차 | CONTENTS

과학 1

목차 | CONTENTS

과학 2

과학 3

SCIENCE

1

grade

01 지권의 변화

1 지구계와 지권의 구조

(1) 지구계

1) **지구계** : 지구를 이루며 서로 영향을 주고받는 구성 요소들의 집합

구성 요소	특징
지권	· 지구 표면과 지구 내부 · 생명체에게 서식처를 제공 · 대부분 고체 상태
수권	· 바다, 강, 빙하 등 지구에 있는 물 · 바다가 수권의 대부분을 차지
기권	· 지구를 둘러싸고 있는 대기 · 여러 가지 기체로 구성 · 비, 바람과 같은 기상 현상 일어남
생물권	· 지구에 살고 있는 모든 생물 · 지권, 수권, 기권에 걸쳐 넓게 분포
외권	· 기권의 바깥 영역인 우주 공간 · 태양, 달 등의 천체를 포함

(2) 지구 내부 조사 방법

1) **시추법** : 직접 땅을 파고 들어가서 내부를 조사

2) **화산 분출물 조사** : 화산이 폭발할 때 나오는 지구 내부 물질을 조사

3) **지진파 분석** : 지진 발생 시 지표에 전달된 지진파를 분석

※ 가장 효과적인 조사 방법 : 지진파 분석

⇒ 지진파는 모든 방향으로 전달되며, 통과하는 물질에 따라 속도가 달라지기 때문

(3) 지구 내부 구조

1) **지각** : 암석으로 되어 있으며, 대륙 지각과 해양 지각으로 나뉜다.

① 대륙 지각 : 평균 두께 약 35km, 화강암질 암석

② 해양 지각 : 평균 두께 약 5km, 현무암질 암석

2) **맨틀** : 지구 전체 부피의 약 80%를 차지

3) **핵** : 철, 니켈 같은 무거운 금속 물질로 구성

① 외핵 : 지진파 S파가 통과하지 못하므로 유일하게 액체 상태로 추정

② 내핵 : 고체 상태로 추정

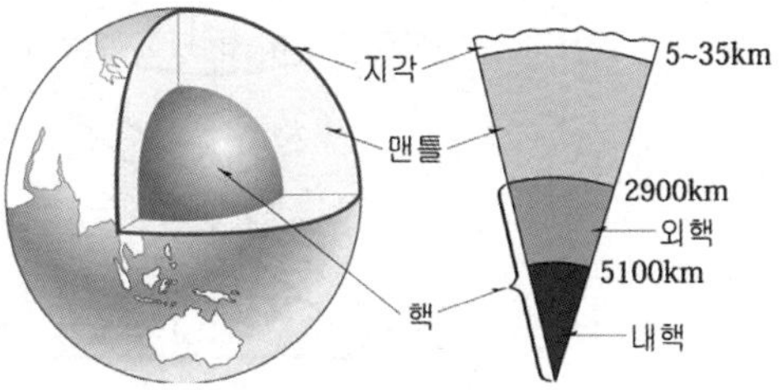

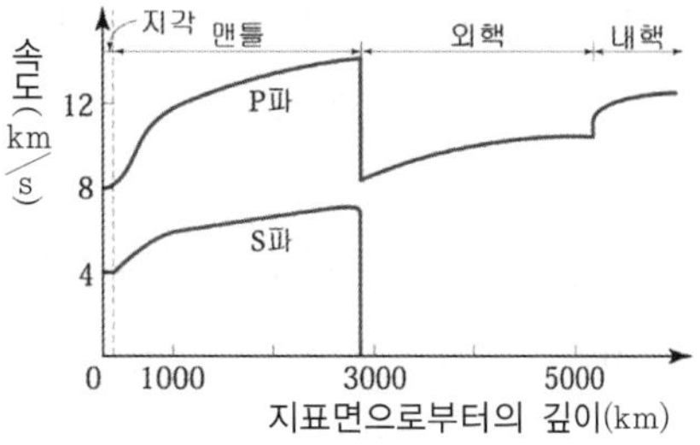

2 지각의 구성 – 암석

(1) 암석의 분류

: 암석은 생성 과정에 따라 크게 화성암, 퇴적암, 변성암으로 분류

(2) 화성암 : 마그마가 식어서 굳어진 암석

1) **화산암** : 마그마가 지표 부근에서 빠르게 식어서 굳어진 화성암

2) **심성암** : 마그마가 지하 깊은 곳에서 천천히 식어서 굳어진 화성암

색 / 결정의 크기	어둡다 ←	→	밝다
작다 (화산암)	현무암	안산암	유문암
크다 (심성암)	반려암	섬록암	화강암

(3) 퇴적암 : 퇴적물이 다져지고 굳어져 만들어진 암석

1) **퇴적암의 특징** : 층리와 화석이 나타난다.

2) **퇴적암의 생성 과정** : 퇴적물의 운반 → 쌓임 → 다져짐 → 굳어짐 → 퇴적암

3) **퇴적암의 분류** : 퇴적물의 크기와 종류에 따라 분류

퇴적물	퇴적암	퇴적물	퇴적암
자갈, 모래, 진흙	역암	석회질 물질	석회암
모래	사암	화산재	응회암
진흙	셰일	소금	암염

(4) 변성암 : 높은 열과 압력을 받아 성질이 변하여 만들어진 암석

1) **변성암의 특징** : 엽리와 알갱이의 변화가 나타난다.

2) **변성암의 분류** : 원래 암석의 종류와 변성 정도에 따라 분류

(5) 암석의 순환 : 암석은 주위 환경에 따라 끊임없이 다른 암석으로 변한다.

1) 암석이 풍화, 침식 작용을 받으면 잘게 부서져 퇴적물이 된다.

2) 퇴적물이 다져지고 굳어지면 퇴적암이 된다.

3) 암석이 높은 열과 압력을 받으면 성질이 변하여 변성암이 된다.

4) 암석이 지하 깊은 곳에서 더 높은 열과 압력을 받아 녹으면 마그마가 된다.

5) 마그마가 지하 깊은 곳이나 지표 부근에서 식어서 굳어지면 화성암이 된다.

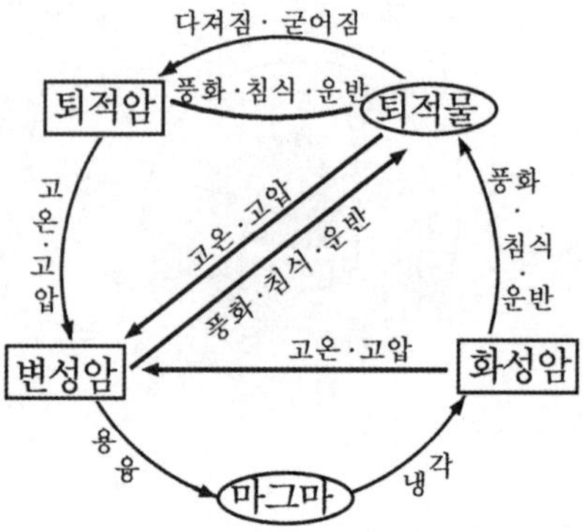

3 지각의 구성 – 광물과 토양

(1) 지각의 구성

: 지각은 여러 종류의 암석으로, 암석은 여러 종류의 광물로, 광물은 다시 여러 종류의 원소로 이루어져 있다.

지각 ⊃ 암석 ⊃ 광물 ⊃ 원소

(2) 광물 : 암석을 이루는 작은 알갱이

1) **조암 광물** : 암석을 이루는 주된 광물로, 장석, 석영, 휘석, 각섬석, 흑운모, 감람석 등이 있다.

(3) 광물의 특성 : 다른 광물과 구별되는 고유의 성질

1) **색** : 겉보기 색

2) **조흔색** : 조흔판에 긁었을 때 나타나는 광물 가루의 색

광물	흑운모	자철석	적철석	금	황동석	황철석
겉보기 색	검은색			노란색		
조흔색	흰색	검은색	적갈색	노란색	녹흑색	검은색

3) **굳기** : 광물의 단단하고 무른 정도

굳기	1	2	3	4	5	6	7	8	9	10
광물	활석	석고	방해석	형석	인회석	정장석	석영	황옥	강옥	금강석

4) **염산 반응** : 광물이 염산과 반응하여 거품이 발생하는 성질 예 방해석

5) **자성** : 광물이 쇠붙이를 끌어당기는 성질 예 자철석

6) **결정형** : 광물이 가지고 있는 특유의 겉모양

예 석영 - 육각기둥, 장석 - 두꺼운 판, 흑운모 - 육각판, 금강석 - 팔면체

7) **쪼개짐** : 광물에 힘을 가했을 때 반듯한 면을 보이면서 쪼개지는 성질

예 흑운모 - 얇은 육각판, 방해석 - 기울어진 육면체

(4) **풍화** : 암석이 오랜 기간에 걸쳐 물, 공기, 생물 등에 의해 잘게 부서지고 성분이 변하는 현상

(5) **토양** : 암석이 풍화 작용을 받아서 잘게 부서져 만들어진 흙

1) **기반암** : 풍화되지 않은 암석

2) **모질물** : 암석 조각과 모래 등으로 이루어진 층

3) **심토** : 표토에서 물에 녹은 물질이나 진흙이 쌓인 층

4) **표토** : 식물이 잘 자라고 생명 활동이 활발한 층

※ *토양의 생성 순서 : 기반암 → 모질물 → 표토 → 심토*

※ *토양의 단면 구조 : 기반암 → 모질물 → 심토 → 표토*

4 지권의 운동

(1) **대륙 이동설(베게너)** : 과거 한 덩어리였던 거대한 대륙(판게아)이 여러 대륙으로 분리되고 이동하여 현재와 같은 분포를 이루었다는 학설

1) **대륙 이동의 증거**

① 각 대륙의 해안선 모양 일치

② 여러 대륙에서 같은 종의 화석 발견

③ 빙하의 이동 흔적과 분포

④ 멀리 떨어져 있는 대륙 간의 산맥이 연결

2) **대륙 이동의 원동력** : 맨틀의 대류

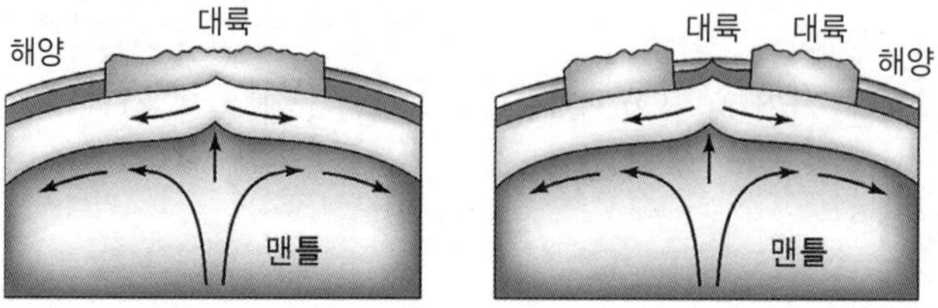

(2) 판의 이동과 경계

1) **판** : 지각과 맨틀 일부를 포함하는 단단한 암석층

2) **판의 이동과 경계** : 판은 각각 다른 방향과 속도로 이동하므로 판의 경계에서 판들은 멀어지거나 모여들고, 서로 어긋나기도 한다.

판의 경계	발산형 경계	수렴형 경계		보존형 경계
		섭입형	충돌형	
판의 이동	← →	→ ←		↓ ↑
모습			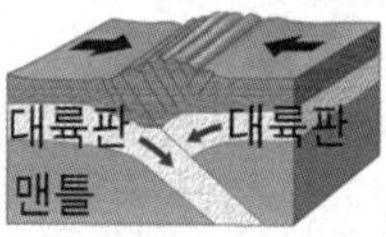	
발달 지형	해령, 열곡대	해구, 호상열도	습곡 산맥	변환 단층
지각 변동	지진, 화산 활동	지진, 화산 활동	지진	지진

(3) 화산과 지진

1) **화산** : 마그마가 지각의 틈을 뚫고 나오는 현상

⇒ 화산 기체, 용암, 화산 쇄설물 등이 분출된다.

2) **지진** : 지구 내부에 쌓인 에너지가 갑자기 방출되며 땅이 흔들리는 현상

⇒ 규모와 진도로 세기를 나타낸다.

(4) 화산대와 지진대 : 화산대와 지진대는 대체로 판의 경계와 일치한다.

⇒ 판의 경계에서 화산 활동과 지진 같은 지각 변동이 활발하기 때문

Exercises

01 다음과 같은 특징이 있는 지구계의 구성 요소는?

> · 여러 가지 기체로 이루어져 있다.
> · 비, 바람 등의 기상 현상이 일어난다.

① 지권 ② 수권 ③ 기권 ④ 생물권

02 지구 내부를 조사하는 가장 효과적인 방법은 ( )이다.

03 지구 내부 구조 중 외핵만 ( ) 상태이고, 나머지는 모두 ( ) 상태이다.

04 지구 내부 전체 부피의 약 80%를 차지하는 것은 ( )이다.

05 암석은 생성 과정에 따라 ( ), 퇴적암, 변성암으로 분류한다.

06 마그마가 식어서 굳어진 암석은 ( )이다.

07 층리와 화석은 (　　　　　)에서 볼 수 있는 특징이다.

08 다음 중 광물을 구별할 수 있는 특징이 아닌 것은?

① 색　　② 자성　　③ 질량　　④ 조흔색

09 풍화를 일으키는 주요 원인은 (　　　　　), 공기이다.

10 (　　　　　)은 암석이 풍화 작용을 받아서 잘게 부서져 만들어진 흙이다.

11 지각과 맨틀의 윗부분을 포함하는 단단한 암석층을 (　　　　　)이라고 한다. 지구의 표면은 크고 작은 10여 개의 (　　　　　)으로 나누어져 있다.

12 (　　　　　)은 지구 내부에 쌓인 에너지가 갑자기 방출되며 땅이 흔들리는 현상이다.

정답 136쪽

02 여러 가지 힘

1 중력과 탄성력

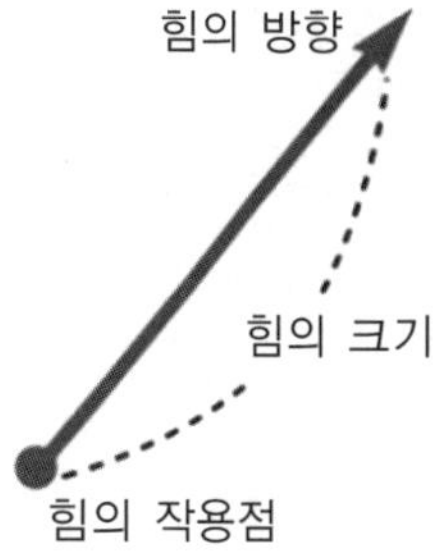

(1) 힘 : 물체의 모양이나 운동 상태를 변화시키는 원인

1) **힘의 표시** : 화살표를 이용

⇒ 힘의 3요소는 힘의 크기, 힘의 방향, 힘의 작용점이다.

2) **힘의 단위** : N(뉴턴)

(2) 중력 : 지구가 물체를 당기는 힘

1) **중력의 방향** : 지구 중심 방향(연직 아래 방향)

2) **중력의 크기**

① 물체의 질량이 클수록 중력이 크게 작용한다.

② 지구 중심에 가까울수록 중력이 커진다.

③ 달에서의 중력 : 지구 중력의 1/6

3) **중력에 의해 나타나는 현상**

① 고드름이 아래쪽으로 얼어붙는다.

② 번지점프를 하면 아래로 떨어진다.

③ 폭포의 물이 위에서 아래로 흐른다.

④ 달이 지구 주위를 공전한다.

(3) 질량과 무게 : 물체의 무게는 질량에 비례한다. 지구에서 질량이 1kg인 물체의 무게는 9.8N이다. 질량 1kg = 1kg중 = 9.8N

구분	뜻	측정 기구	단위
질량	물체의 고유한 양, 변하지 않는다.	윗접시 저울, 양팔 저울	kg, g
무게	물체에 작용하는 중력의 크기, 측정 장소에 따라 달라진다. (달에서의 무게는 지구에서의 1/6이다.)	용수철 저울, 앉은뱅이 저울	N

(4) **탄성력** : 모양이 변한 물체가 원래 모양으로 되돌아가려는 힘

1) **탄성력의 방향** : 탄성체에 작용한 힘과 반대 방향

2) **탄성력의 크기** : 탄성체에 작용한 힘의 크기와 같고, 탄성체의 변형이 클수록 탄성력이 커진다.

3) **탄성력의 이용** : 컴퓨터 자판, 트램펄린, 장대높이뛰기, 침대, 자전거 안장 등

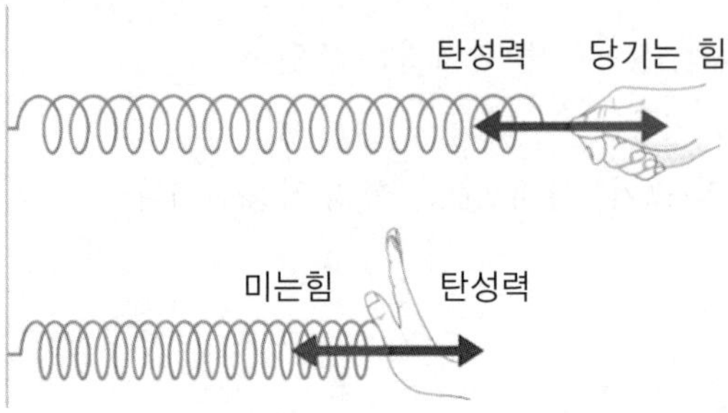

(5) **용수철을 이용한 무게 측정**

: 용수철이 늘어난 길이는 용수철에 매다는 물체의 무게에 비례한다.

⇒ 용수철이 늘어난 길이를 측정하여 물체의 무게를 알 수 있다.

2 마찰력과 부력

(1) **마찰력** : 두 물체의 접촉면에서 물체의 운동을 방해하는 힘

1) **마찰력의 방향** : 물체의 운동 방향과 반대 방향

2) **마찰력의 크기** : 물체가 움직이는 순간에 측정된 힘의 크기

3) **마찰력의 크기에 영향을 미치는 요인**

① 물체가 무거울수록 마찰력이 크다.

② 접촉면이 거칠수록 마찰력이 크다.

③ 접촉면의 넓이는 마찰력의 크기와 관계없다.

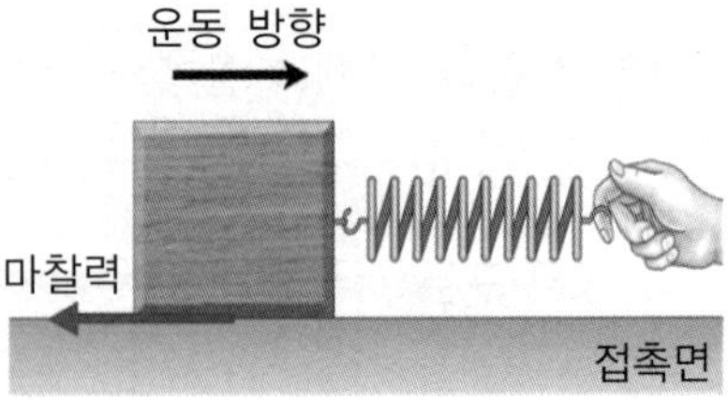

4) **마찰력의 이용**

① 마찰력을 **크게** 하는 경우 : 등산화 바닥, 자동차 타이어 체인, 계단 미끄럼 방지 패드, 사포 등

② 마찰력을 **작게** 하는 경우 : 미끄럼틀, 창문, 스케이트, 기계나 자전거의 체인에 윤활유 사용 등

(2) **부력** : 액체나 기체가 물체를 밀어 올리는 힘

1) **부력의 방향** : 중력과 반대 방향인 위쪽

2) **부력의 크기**

① 물에 잠긴 물체의 부피가 클수록 크게 작용한다.

② 물체의 질량과는 관계없다.

3) **물체가 뜨고 가라앉는 이유** : 물체에 작용하는 부력과 중력의 크기에 따라 물체가 뜨거나 가라앉는다.

부력 〉 중력	부력 = 중력	부력 〈 중력
물속의 물체가 위로 떠오른다.	물 위나 물속에 물체가 떠 있다.	물체가 가라앉는다.

4) **부력의 이용**

① 액체 속에서 받는 부력 : 구명조끼, 튜브, 물에 뜨는 배, 물에 잠기는 잠수함 등

② 기체 속에서 받는 부력 : 열기구, 비행선, 헬륨을 채운 풍선 등

Exercises

01 힘의 단위는 N이고, (   )이라고 읽는다.

02 다음 현상의 원인이 되는 힘을 쓰시오.

· 눈과 비가 아래로 내린다.	· 운석이 지구로 떨어진다.

(   )

03 (   )의 단위로는 kg, (   )의 단위로는 N을 사용한다.

04 용수철에 10N짜리 물체를 매달았을 때 물체에 작용하는 탄성력의 크기는 (   )N 이다.

05 〈보기〉에서 탄성력을 이용한 경우를 모두 고르시오.

〈 보기 〉

ㄱ. 다이빙대	ㄴ. 농구공	ㄷ. 구명조끼
ㄹ. 빨래집게	ㅁ. 화물선	ㅂ. 양팔저울

(   )

06 물체가 운동하고 있을 때 물체의 (　　　　　) 방향과 반대 방향으로 마찰력이 작용한다.

07 다음에서 마찰력을 크게 한 경우와 작게 한 경우를 골라 분류하시오.

ㄱ. 자동차 바퀴에 체인을 건다.
ㄴ. 역도 선수가 손에 송진 가루를 바른다.
ㄷ. 인라인 스케이트 바퀴에 윤활유를 바른다.
ㄹ. 등산화를 신고 암벽을 등반한다.
ㅁ. 스케이트를 탄다.

(1) 마찰력을 크게 한 경우 :

(2) 마찰력을 작게 한 경우 :

08 무거운 배가 물위에 뜨게 하는 힘은 (　　　　　)이다.

09 부력의 방향은 (　　　　　)과 반대 방향인 위쪽이다.

정답 136쪽

03 생물의 다양성

1 생물 다양성과 분류

(1) **생물 다양성** : 어떤 지역에 살고 있는 생물의 다양한 정도

⇒ 생물의 종류가 많을수록(종 다양성), 같은 종류에 속하는 생물의 특성이 다양할수록(유전적 다양성), 생태계가 다양할수록(생태계 다양성) 생물 다양성이 높다.

(2) **생물이 다양해진 과정**

1) **변이** : 같은 종류의 생물 사이에서 나타나는 서로 다른 특징

예 얼룩말의 털 무늬가 조금씩 다르다.

2) **환경과 생물** : 생물은 빛, 온도, 공기, 물, 토양 등의 환경에 적응하여 살아간다.

3) **생물이 다양해진 과정**

변이	한 종류의 생물 무리에는 다양한 변이가 있다.
↓	
환경에 적응	그 무리에서 환경에 알맞은 변이를 지닌 생물이 더 많이 살아남아 자손을 남긴다.
↓	
생물이 다양해짐	이 과정이 매우 오랜 세월 동안 반복되면 원래의 생물과 특징이 다른 생물이 나타날 수 있다.

예 목이 긴 갈라파고스땅거북이 나타난 과정

(3) **생물의 분류**

1) **생물 분류** : 일정한 기준에 따라 생물을 비슷한 종류의 무리로 나누는 것

2) **분류 기준** : 생김새, 번식 방법, 광합성 여부, 유전자 등 생물 고유의 특징에 따라 생물을 분류한다.

3) **분류 목적** : 생물을 분류하면 생물을 체계적으로 연구할 수 있어 생물 다양성을 이해하는 데 도움이 된다.

(4) 생물의 분류 체계

1) 생물의 분류 단계

종 < 속 < 과 < 목 < 강 < 문 < 계

① 가장 큰 분류 단위는 계이고, 계에서 종으로 갈수록 생물이 점점 더 세부적으로 나누어진다.

② 종 : 자연 상태에서 짝짓기하여 번식이 가능한 자손을 낳을 수 있는 무리

2) 생물의 5계 : 생물은 원핵생물계, 원생생물계, 균계, 식물계, 동물계의 5가지 계로 분류할 수 있다.

5계	특징	예
원핵 생물계	· 세포에 핵이 없다. · 단세포 생물이다. · 세포벽이 있다. · 대부분 광합성을 하지 않는다. 예외) 남세균	포도상 구균, 대장균, 젖산균
원생 생물계	· 핵이 있다. · 균계, 식물계, 동물계에 속하지 않는 나머지 생물을 모아 놓은 무리 · 대부분 단세포 생물, 다세포 생물도 있다. · 기관이 발달하지 않았다.	단세포 : 아메바, 짚신벌레 다세포 : 다시마, 미역, 김
균계	· 핵이 있다. · 세포벽이 있다. · 버섯이나 곰팡이와 같이 운동성이 없는 생물 · 광합성을 하지 못하기 때문에, 대부분 죽은 생물의 몸을 분해하여 양분을 얻는다.	느타리버섯, 송이버섯, 검은빵곰팡이
식물계	· 다세포 생물이다. · 세포벽이 있다. · 광합성을 할 수 있어 스스로 양분을 만든다. · 뿌리, 줄기, 잎과 같은 기관이 발달하였다.	진달래, 소나무, 고사리, 우산이끼
동물계	· 다세포 생물이다. · 세포벽이 없다. · 운동성이 있다. · 다른 생물을 먹이로 삼아 양분을 얻는다. · 몸에 기관이 발달하였다.	불가사리, 말, 달팽이, 나비, 해파리

2 생물 다양성 보전

(1) 생물 다양성과 생태계

1) **생태계 평형** : 생태계를 이루는 생물의 종류와 수가 크게 변하지 않고 안정된 상태를 유지하는 것 ⇒ 생태계 평형은 생태계를 구성하는 생물의 종류가 다양하여 먹이 사슬이 복잡하게 얽혀 있을 때 잘 유지된다.

2) **생물 다양성과 생태계의 관계**

(가)	생물 다양성이 낮다.	먹이 사슬이 단순하다. ⇒ 생태계 평형이 쉽게 파괴된다.
(나)	생물 다양성이 높다.	먹이 사슬이 복잡하다. ⇒ 생태계 평형이 잘 유지된다.

3) **생물 다양성이 주는 혜택**

① 식량, 의약품 등 생활에 필요한 재료를 제공한다.

② 생물에서 아이디어를 얻어 유용한 도구를 발명한다.

③ 생물 다양성이 보전된 생태계는 깨끗한 공기와 물 등을 제공하며, 휴식과 여가 활동을 위한 공간이 된다.

(2) 생물 다양성의 보전

1) **생물 다양성의 감소 원인과 대책**

원인 ⇒ 인간의 활동과 관계가 깊다.		대책
서식지 파괴	생물 다양성 감소의 가장 심각한 원인	보호구역 지정, 생태통로 설치
남획	인간이 생물을 마구 잡는 것	법률 강화, 멸종위기 생물 지정
외래종 유입	일부 외래종이 토종 생물을 위협	무분별한 유입방지, 감시와 퇴치
환경오염	오염에 약한 생물이 사라짐	환경 정화시설 설치

2) **생물 다양성 보전을 위한 활동**

① 국제적 활동 : 여러 가지 협약을 맺고 실행한다.

② 국가적 활동 : 멸종 위기종 복원 사업, 관련 법률 제정, 종자 은행 설립 등

③ 사회적 활동 : 외래종 제거하기, 토종 얼룩소 키우기 등

④ 개인적 활동 : 친환경 농산물 이용하기, 모피로 만든 제품 사지 않기 등

Exercises

단원문제 3

01 어떤 지역에 살고 있는 생물의 다양한 정도를 (　　　　　　　　)이라 한다.

02 (　　　　)는 같은 종류의 생물 사이에서 나타나는 서로 다른 특징이다.

03 (　　　　)은 자연 상태에서 짝짓기하여 번식이 가능한 자손을 낳을 수 있는 무리이다.

04 다음은 생물의 분류 단계를 작은 단위부터 순서대로 나열한 것이다. (　) 안에 알맞은 분류 단위를 쓰시오.

종 < (　) < (　) < 목 < 강 < 문 < (　)

05 다음은 생물의 5계 중 하나에 대한 설명이다. 이 생물계로 옳은 것은?

· 세포에 핵과 세포벽이 있다. · 광합성을 하지 않으며, 죽은 생물의 몸을 분해하여 양분을 얻는다. · 버섯과 곰팡이 등이 이에 속한다.

① 원생 생물계　　② 균계　　③ 식물계　　④ 동물계

06 생물 다양성이 높은 생태계는 먹이 사슬이 (복잡 / 단순)하고, 생물 다양성이 낮은 생태계는 먹이 사슬이 (복잡 / 단순)하다.

07 인간이 생물을 마구 잡는 것을 (　　　　)이라 한다.

08 생물 다양성을 감소시키는 가장 심각한 원인은?

① 서식지 파괴　　② 남획　　③ 외래종 유입　　④ 환경오염

정답 136쪽

04 기체의 성질

1 입자의 운동

(1) 기체를 이루는 입자

1) 입자로 이루어진 기체

① 기체는 크기가 매우 작은 입자들로 이루어져 있다.

② 기체 입자들은 서로 떨어져 있고, 입자 사이에 빈 공간이 있다.

③ 기체 입자들은 스스로 끊임없이 움직인다.

2) 입자 모형 : 물질을 이루는 입자를 간단한 모형을 이용하여 나타낸 것

(2) 확산 : 물질을 이루는 입자가 스스로 운동하여 모든 방향으로 퍼져 나가는 현상

1) 확산의 예

① 물에 잉크를 떨어뜨리면 물 전체가 잉크색으로 변한다.

② 향수병을 열어 놓으면 향수 냄새가 퍼진다.

③ 전기 모기향을 피워 모기를 쫓는다.

④ 마약 탐지견이 냄새로 마약을 찾는다.

2) 확산이 잘 일어나는 조건

온도	입자의 질량	물질의 상태	일어나는 곳
높을수록	작을수록	고체 < 액체 < 기체	액체 속 < 기체 속 < 진공 속

(3) 증발 : 물질을 이루는 입자가 스스로 운동하여 액체 표면에서 기체로 변하는 현상

1) 증발의 예

① 젖은 빨래가 마른다.

② 어항의 물은 시간이 지나면 점차 줄어든다.

③ 풀잎에 맺힌 이슬이 사라진다.

④ 바닷물을 증발시켜 소금을 얻는다.

2) 증발이 잘 일어나는 조건

온도	습도	바람	표면적
높을수록	낮을수록	잘 불수록	넓을수록

2 압력과 온도에 따른 기체의 부피 변화

(1) 기체의 압력과 부피

1) **보일의 법칙** : 온도가 일정할 때, 압력이 커질수록 기체의 부피는 감소한다.

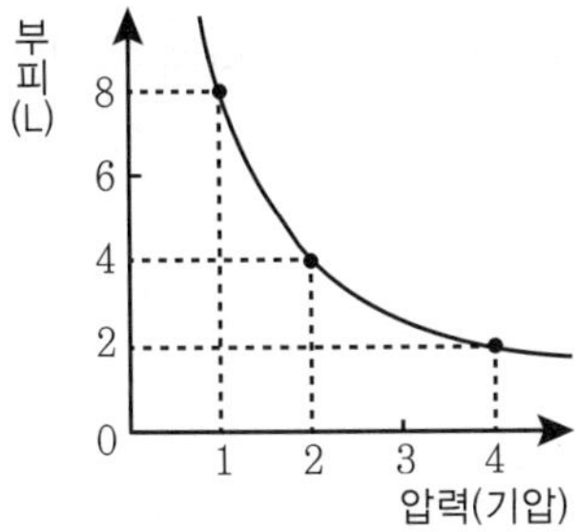

⇒ 온도가 일정할 때,
기체의 부피는 압력에 반비례한다.

⇒ 온도가 일정할 때,
압력과 기체의 부피의 곱은 일정하다.

예 ① 높은 산에 올라가면 과자 봉지가 팽팽해진다.
② 풍선이 하늘 위로 올라갈수록 점점 커진다.
③ 잠수부가 물속에서 내뿜은 공기 방울은 수면으로 올라올수록 점점 커진다.
④ 운항 중인 비행기 안에서 닫아 둔 페트병은 비행기가 착륙할 때 찌그러진다.

(2) 기체의 온도와 부피

1) **샤를의 법칙** : 압력이 일정할 때, 온도가 높을수록 기체의 부피는 증가한다.

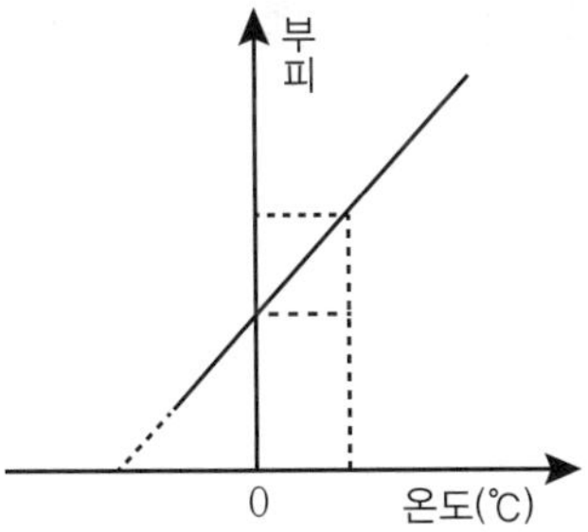

⇒ 압력이 일정할 때,
기체의 부피는 온도가 높을수록
일정한 비율로 증가한다.

⇒ 기체의 부피는 온도에 비례한다.

예 ① 도로를 달리면 자동차의 타이어가 팽팽해진다.
② 찌그러진 탁구공을 뜨거운 물에 넣으면 펴진다.
③ 열기구 속 공기를 가열하면 열기구가 떠오른다.
④ 여름철 햇빛이 비치는 곳에 놓아둔 과자 봉지가 부풀어 오른다.

Exercises

01 물질을 이루는 입자가 스스로 운동하여 모든 방향으로 퍼져 나가는 현상을 (　　　)이라고 한다.

02 확산의 예에 해당하는 것을 모두 고르시오.

ㄱ. 젖은 빨래가 마른다.
ㄴ. 마약 탐지견이 냄새로 마약을 찾는다.
ㄷ. 바닷물을 증발시켜 소금을 얻는다.
ㄹ. 빵집 근처를 지나면 빵 냄새를 맡을 수 있다.

(　　　　　　　　　　　　　　)

03 (　　　　)은 물질을 이루는 입자가 스스로 운동하여 액체 표면에서 기체로 변하는 현상이다.

04 증발이 잘 일어나는 조건을 모두 고르시오.

ㄱ. 온도가 낮을수록　　　ㄴ. 바람이 잘 불수록
ㄷ. 습도가 높을수록　　　ㄹ. 표면적이 넓을수록

(　　　　　　　　　　　　　　)

05 (　　　　　)의 법칙에 따르면 온도가 일정할 때, 기체의 부피는 압력에 반비례한다.

06 온도가 일정할 때, 압력과 기체의 부피 관계를 바르게 나타낸 그래프는?

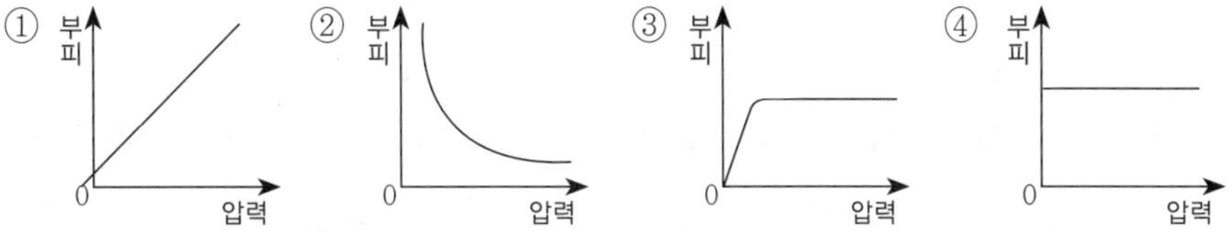

07 물속에서 잠수부가 내뿜은 공기 방울은 수면으로 올라올수록 공기에 가해지는 압력이 (   )하기 때문에 크기가 점점 (   )진다.

08 (   )의 법칙에 따르면 압력이 일정할 때, 기체의 부피는 온도가 높을수록 일정한 비율로 증가한다.

정답 136쪽

05 물질의 상태 변화

1 물질의 상태 변화

(1) **물질의 세 가지 상태** : 물질은 고체, 액체, 기체의 세 가지 상태로 존재한다.

상태	고체	액체	기체
모양	일정하다.	변한다.	변한다.
부피	일정하다.	일정하다.	변한다.
흐르는 성질	없다.	있다.	있다.
압축되는 정도	없다.	거의 없다.	있다.

(2) **물질의 상태 변화**

1) **상태 변화** : 물질의 상태가 고체, 액체, 기체로 서로 변하는 현상

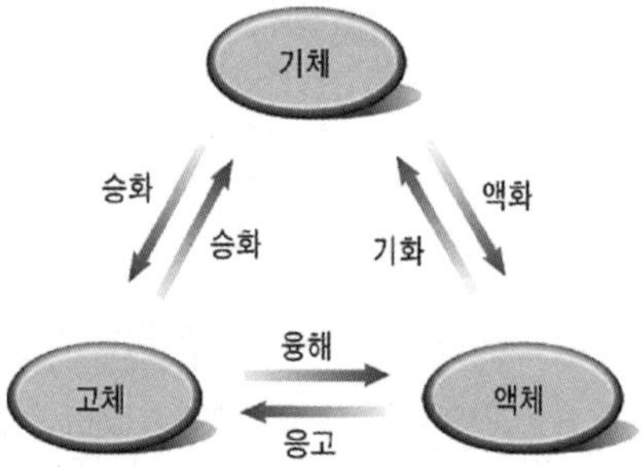

2) **상태 변화의 종류와 예**

① 가열하는 경우

융해(고체 → 액체)	· 얼음이 녹아 물이 된다. · 아이스크림이 녹아 흘러내린다.
기화(액체 → 기체)	· 젖은 빨래가 마른다. · 풀잎에 맺힌 이슬이 한낮이 되면 사라진다. · 물이 끓어 수증기가 된다.
승화(고체 → 기체)	· 드라이아이스의 크기가 점점 작아진다. · 옷장 속 나프탈렌(좀약)의 크기가 작아진다.

② 냉각하는 경우

응고(액체 → 고체)	· 양초의 촛농이 흘러내리다가 굳는다. · 냉동실에 넣은 물이 언다.
액화(기체 → 액체)	· 풀잎에 이슬이 맺힌다. · 얼음물이 든 컵 표면에 물방울이 맺힌다.
승화(기체 → 고체)	· 늦가을 새벽 나뭇잎에 서리가 내린다. · 냉동실 벽면이나 추운 겨울철 유리창에 성에가 생긴다.

(3) 물질의 상태와 입자 배열

상태	고체	액체	기체
입자 모형	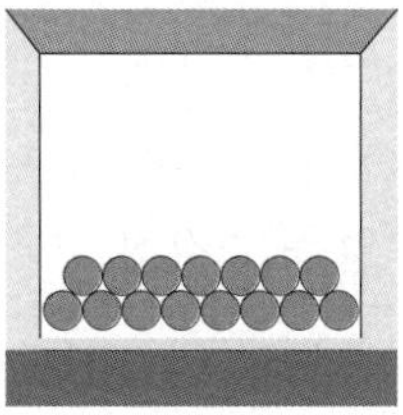	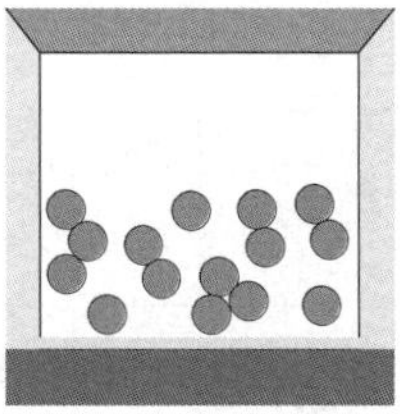	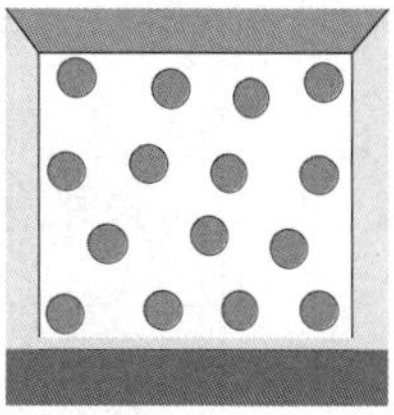
입자 운동	제자리에서 진동	활발하게 운동	매우 활발하게 운동
입자 배열	규칙적	고체보다는 불규칙적	매우 불규칙적
입자 사이의 거리	매우 가깝다.	비교적 가깝다.	매우 멀다.

(4) 상태 변화와 입자 배열, 물질의 변화

구분	융해, 기화, 승화(고체→기체)	응고, 액화, 승화(기체→고체)
입자 운동	활발해진다.	둔해진다.
입자 배열	불규칙적으로 된다.	규칙적으로 된다.
입자 사이의 거리	멀어진다.	가까워진다.
성질, 질량	일정하다.	일정하다.
부피	증가한다.	감소한다.

※ 상태 변화 시 변하는 것과 변하지 않는 것

변하는 것 : 입자 배열, 입자 사이 거리, 부피, 입자 사이의 인력

변하지 않는 것 : 입자 개수, 입자 질량, 입자 종류, 입자 성질, 입자 크기

2 상태 변화와 열에너지

(1) 상태 변화와 열에너지의 출입

: 상태 변화가 일어날 때는 열에너지를 흡수하거나 방출한다.

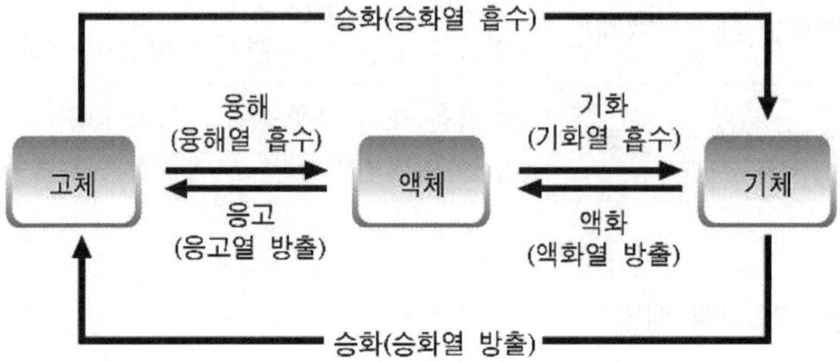

1) 열에너지를 흡수하는 상태 변화의 예

융해(융해열 흡수)	· 물이나 음료수에 얼음을 넣으면 시원해진다. · 더운 여름철 얼음 조각상 근처에 가면 시원해진다.
기화(기화열 흡수)	· 분수대 근처에 가면 시원해진다. · 더운 여름철 마당에 물을 뿌리면 시원해진다.
승화(승화열 흡수)	· 아이스크림을 포장할 때 드라이아이스를 넣어 두면 아이스크림이 잘 녹지 않는다.

2) 열에너지를 방출하는 상태 변화의 예

응고(응고열 방출)	· 추운 겨울철 오렌지 나무에 물을 뿌려 냉해를 막는다. · 이글루 안에 물을 뿌려 내부를 따뜻하게 한다.
액화(액화열 방출)	· 더운 여름철 시원한 곳에 있다 밖으로 나오면 후텁지근함을 느낀다.

(2) 가열 곡선과 상태 변화

① 온도가 높아지는 구간 : (가), (다), (마) ⇒ 가해 준 열에너지가 온도를 높이는 데 사용

② 온도가 일정한 구간 : (나), (라) ⇒ 가해 준 열에너지가 상태 변화에 모두 사용

③ (나) 구간 : 녹는점(고체와 액체가 공존), (라) 구간 : 끓는점(액체와 기체가 공존)

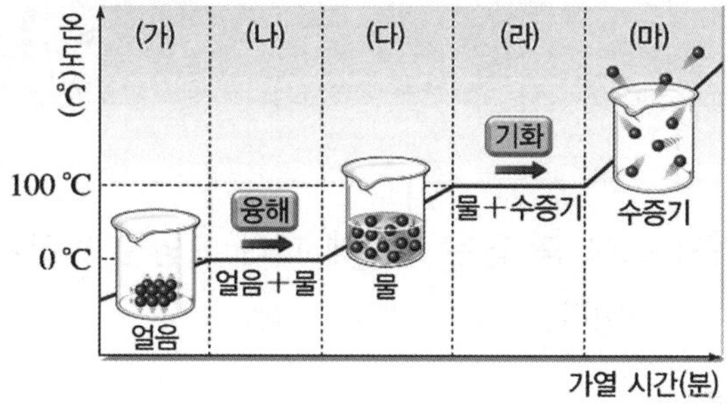

(3) 냉각 곡선과 상태 변화

① 온도가 낮아지는 구간 : (가), (다) ⇒ 열에너지를 빼앗겨 온도가 낮아짐

② 온도가 일정한 구간 : (나) ⇒ 상태 변화하면서 열에너지를 방출하여 온도가 낮아지지 않음

③ (나) 구간 : 어는점(액체와 고체가 공존)

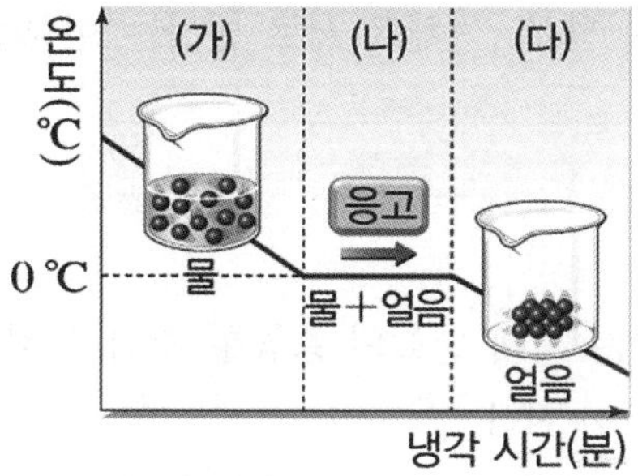

Exercises

01 물질의 세 가지 상태 중 담는 그릇에 따라 모양은 변하지만 부피는 변하지 않는 것은 (   )이다.

02 상온에서 각 물질의 상태를 쓰시오.

(1) 물 … (   )   (2) 철 … (   )   (3) 소금 … (   )

(4) 공기 … (   )   (5) 우유 … (   )   (6) 모래 … (   )

03 물질의 상태가 고체, 액체, 기체로 서로 변하는 현상을 (   )라 한다.

04 다음 현상과 관계있는 상태 변화의 종류를 각각 쓰시오.

(1) 냉동실에 넣은 물이 언다. (   )

(2) 얼음물이 담긴 유리컵의 표면에 물방울이 맺힌다. (   )

(3) 더울 여름철 아이스크림이 녹아 흘러내린다. (   )

(4) 젖은 머리카락을 헤어드라이어로 말린다. (   )

(5) 옷장 속 나프탈렌의 크기가 점점 작아진다. (   )

(6) 추운 겨울철 자동차의 유리창에 성에가 생긴다. (   )

05 물질이 상태 변화할 때 변하는 것을 모두 고르시오.

ㄱ. 입자의 배열	ㄴ. 입자의 종류	ㄷ. 입자의 운동
ㄹ. 물질의 질량	ㅁ. 입자 사이의 거리	ㅂ. 물질의 부피

(   )

06 고체 물질이 녹는 동안 일정하게 유지되는 온도는 (   )이고, 액체 물질이 끓는 동안 일정하게 유지되는 온도는 (   )이다.

07 다음 중 부피가 증가하는 상태 변화가 <u>아닌</u> 것은?

① 양초가 녹아 촛농이 된다.
② 이른 아침 풀잎에 이슬이 맺힌다.
③ 손에 묻어 있던 물기가 마른다.
④ 겨울철 영하의 온도에서 언 명태가 마른다.

정답 136쪽

06 빛과 파동

1 빛과 색

(1) 빛의 합성 : 두 가지 색 이상의 빛이 합쳐지면 또 다른 색의 빛으로 보이는 현상

1) 빛의 삼원색 : 빨간색, 초록색, 파란색

① 빛의 삼원색을 적절하게 합성하면 모든 색의 빛을 만들 수 있다.

② 빛은 합성할수록 밝아진다.

· 빨간색 + 파란색 = 자홍색

· 초록색 + 파란색 = 청록색

· 빨간색 + 초록색 = 노란색

· 빨간색 + 파란색 + 초록색 = 흰색

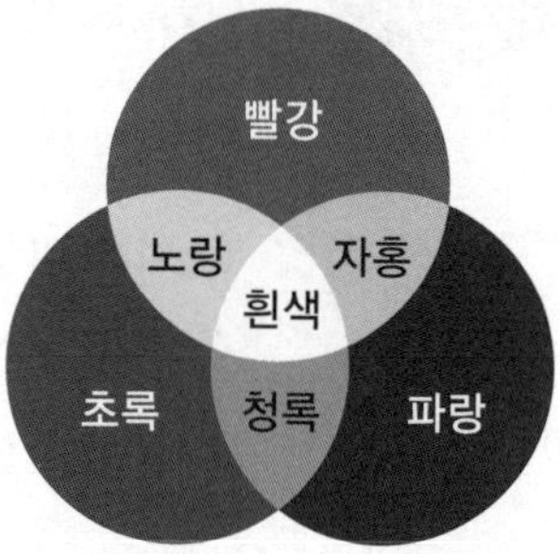

2) 빛의 합성의 이용 : 영상 장치(텔레비전, 휴대전화, 전광판 등)의 화면, 무대 조명, 점묘화 등

(2) 물체의 색 : 물체의 색은 물체가 반사하는 빛이 합성된 색으로 보인다.

1) 장미꽃은 빛의 삼원색 중 빨간색 빛만 반사하여 빨간색으로 보인다.

2) 바나나는 빛의 삼원색 중 빨간색, 초록색 빛만 반사하여 빨간색, 초록색 빛이 합성된 노란색으로 보인다.

3) 반사하는 빛이 없을 때는 검은색으로 보인다.

4) 조명과 물체의 색 : 같은 물체라도 조명색이 다르면 물체의 색이 다르게 보인다.

예 바나나는 햇빛 아래에서 노란색으로 보이지만, 빨간색 조명 아래에서는 빨간색으로 보인다.

2 거울과 렌즈

(1) 평면거울에 의한 상

1) 빛의 반사 : 직진하는 빛이 거울이나 물체에 닿으면 진행 방향이 바뀌는 현상

2) 반사 법칙 : 입사각과 반사각의 크기는 항상 같다.

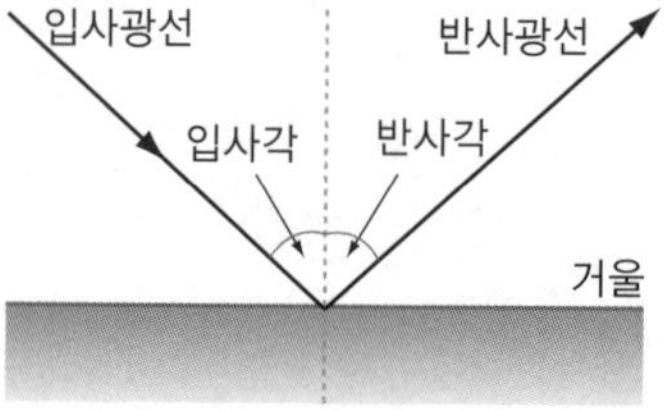

3) **평면거울에서 상이 생기는 원리** : 사람은 거울에서 반사되어 나오는 반사 광선의 연장선이 만난 점에서 빛이 나오는 것으로 느껴 그곳에 생긴 상을 본다.

4) **상의 특징**

① 상의 크기 : 실제 물체와 같다.

② 상의 모양 : 좌우가 바뀌어 보인다.

③ 상의 위치 : 거울에서 물체까지의 거리와 거울에서 상까지의 거리가 같다.

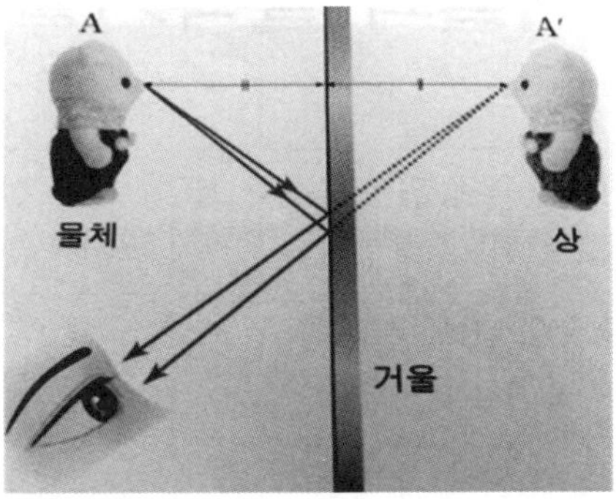

(2) 구면 거울에 의한 상

거울	볼록 거울	오목 거울
빛의 진행	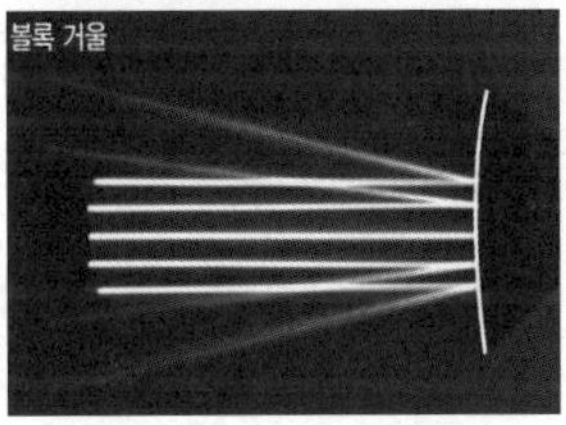 빛을 퍼지게 한다.	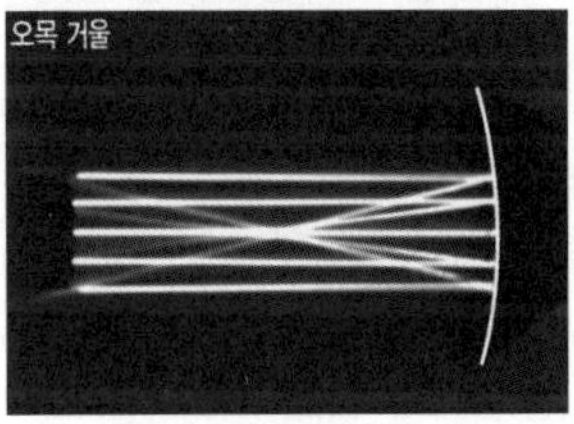 빛을 한 점에 모은다.
상의 크기	항상 실물보다 작은 상이 보인다.	거울에 가까이 있는 물체가 확대되어 보인다.
이용	자동차의 사이드 미러, 편의점의 감시 거울 등	화장용 확대 거울, 치과용 거울, 자동차 전조등 등

(3) 렌즈에 의한 상

1) **빛의 굴절** : 두 물질의 경계면에서 빛의 진행 방향이 꺾이는 현상

2) 볼록 렌즈와 오목 렌즈에서 빛의 굴절

렌즈	볼록 렌즈	오목 렌즈
빛의 진행	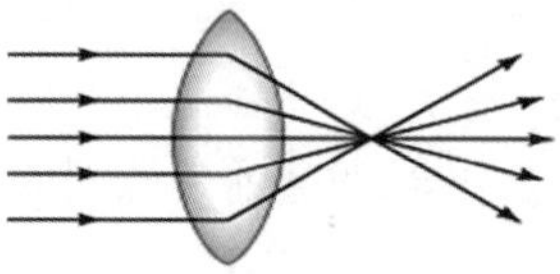 빛을 모은다.	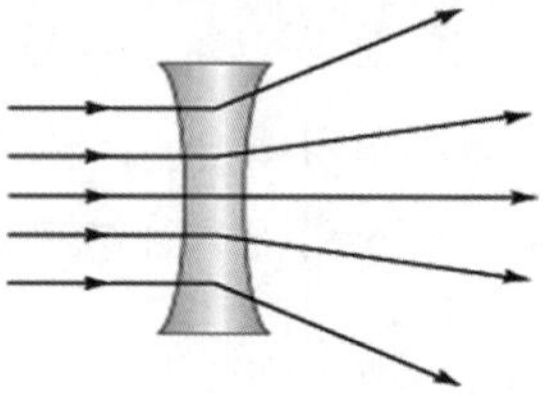 빛을 퍼지게 한다.
상의 크기	렌즈에 가까이 있을 경우 실물보다 크고 바로 선 상이 보인다.	항상 실물보다 작고 바로 선 상이 보인다.
이용	원시 교정용 안경, 돋보기, 망원경 등	근시 교정용 안경 등

3 파동과 소리

(1) **파동** : 한곳에서 생긴 진동이 주위로 퍼져 나가는 현상

1) **매질** : 파동을 전달시키는 물질

예 물결파 – 물, 소리 – 공기, 지진파 – 지각, 빛(전자기파) – 없다

2) **파동의 전파** : 파동이 전달될 때 이동하는 것은 에너지이다. 매질(파동을 전달하는 물질)은 이동하지 않고, 제자리에서 진동만 한다.

3) **파동의 종류**

① 종파 : 파동의 진행 방향과 매질의 진동 방향이 나란한 파동

예 음파, 지진파의 P파 등

② 횡파 : 파동의 진행 방향과 매질의 진동 방향이 수직인 파동

예 물결파, 빛, 전파, 지진파의 S파 등

4) **파동의 표시**

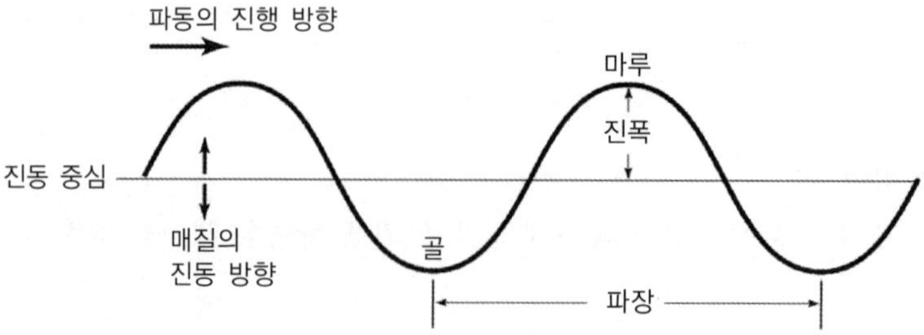

① 마루 : 파동에서 가장 높은 부분

② 골 : 파동에서 가장 낮은 부분

③ 파장 : 마루에서 다음 마루까지의 거리, 또는 골에서 다음 골까지의 거리

④ 진폭 : 진동 중심에서 마루까지의 거리, 또는 진동 중심에서 골까지의 거리

(2) 소리(음파) : 물체가 진동하여 발생하고, 공기를 매질로 전달되는 파동

1) 소리의 3요소 : 소리의 세기, 소리의 높낮이, 음색

① 소리의 세기

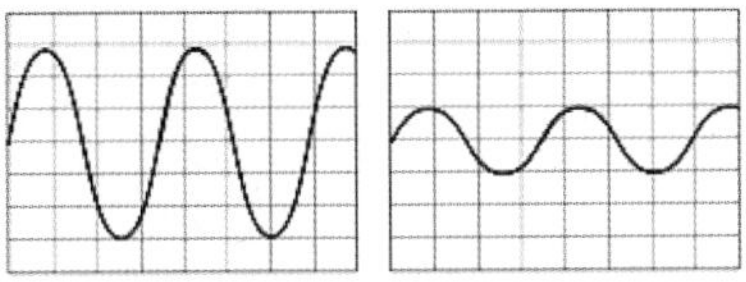

⇒ 진폭이 클수록 큰 소리이다.

② 소리의 높낮이

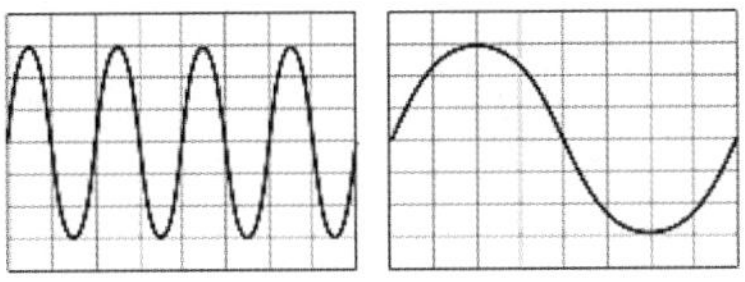

⇒ 진동수가 클수록 높은 소리이다.

③ 음색

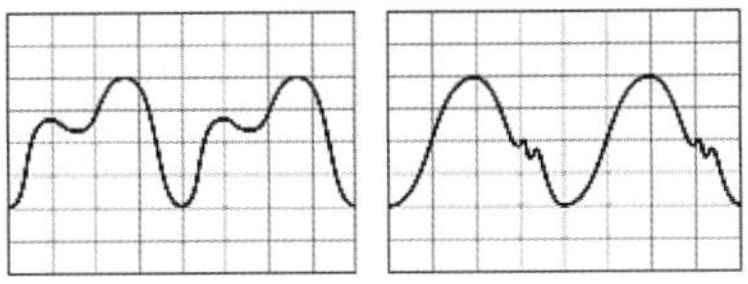

⇒ 파형이 다르면 다른 소리이다.
(높이와 세기가 같아도 음색이 다르면 다른 소리로 들린다.)

Exercises

01 빛의 삼원색 세 가지를 쓰시오.

( )

02 빛의 합성에 대한 설명으로 옳지 않은 것은?

① 빛은 합성할수록 밝아진다.

② 컴퓨터 화면, 무대 조명 등은 빛의 합성의 원리를 이용한 예이다.

③ 빨간색, 초록색, 파란색을 빛의 삼원색이라고 한다.

④ 삼원색의 빛을 모두 합성하면 검은색이 된다.

03 물체의 색은 물체가 ( )하는 빛의 색으로 보인다. 햇빛 아래에서 빨간색 사과는 ( ) 빛만 반사하기 때문에 빨간색으로 보인다.

04 볼록 거울을 이용한 경우로 옳은 것을 모두 고르시오.

ㄱ. 자동차의 사이드 미러	ㄴ. 치과용 거울
ㄷ. 편의점의 감시 거울	ㄹ. 자동차 전조등

( )

05 상이 망막 ( )쪽에 맺히는 것을 근시라고 하며, 근시를 교정하기 위해서는 상이 망막에 맺히도록 ( ) 렌즈를 사용해야 한다.

06 파동은 한곳에서 만들어진 (   )이 주위로 퍼져 나가는 현상이다. 파동이 전달될 때 (   )은 이동하지 않고 제자리에서 진동만 한다.

07 다음의 여러 가지 파동 중에서 종파를 고르시오.

ㄱ. 소리	ㄴ. 물결파	ㄷ. 지진파의 S파
ㄹ. 빛	ㅁ. 초음파	ㅂ. 지진파의 P파

(   )

08 파동의 요소 중 마루에서 다음 마루까지의 거리, 또는 골에서 다음 골까지의 거리를 (   )이라 한다.

09 진폭이 커지면 (   ) 소리가 나고, 진동수가 증가하면 (   ) 소리가 난다.

정답 137쪽

07 과학과 나의 미래

1 과학과 나의 미래

(1) **과학과 관련된 직업** : 과학 지식을 탐구하는 직업과 과학 지식을 이용하여 생활 속 문제를 해결하는 직업으로 구분할 수 있다.

구분	과학 지식을 탐구하는 직업	과학 지식을 이용하여 생활 속 문제를 해결하는 직업
관련 분야	기초과학 분야와 관련	응용과학 분야와 관련
예	물리학자, 화학자, 생명 과학자 등	의학 물리학자, 기계 공학자, 영양사 등

(2) **과학과 관련된 직업에 필요한 역량** : 과학과 관련된 직업을 수행하려면 논리적 사고력, 창의력, 의사소통 능력, 문제 해결력, 수리 능력, 정보 통신 활용 능력 등의 역량을 갖추어야 한다.

(3) **현대 사회의 직업과 과학의 관련성** : 현대 사회에서는 과학 분야가 서로 융합하여 만들어진 직업이나, 과학과 다른 분야가 융합하여 만들어진 직업이 늘어나고 있다.
예 문화재 보존원, 재활용 관리자, 음악 분수 연출자 등

(4) **첨단 과학 기술과 직업의 변화**

1) **인공 지능과 로봇의 활용** : 인공 지능과 로봇은 오늘날 의료 분야, 교통 및 운송 분야, 제조 산업 분야 등에 주로 쓰이고 있다.

2) **미래의 생활과 직업에 변화를 가져올 첨단 과학 기술** : 미래의 거의 모든 직업은 과학 기술의 영향을 받을 것이다.

(5) **미래의 직업** : 첨단 과학 기술의 융합, 친환경, 삶의 질 향상, 인공 지능 등과 관계 깊은 직업이 나타날 가능성이 높고, 인공 지능이나 로봇 관련 기술이 더욱 다양하게 쓰일 것이다.

Exercises

01 현대 사회에서는 개별 연구보다 함께 모여 연구하는 일이 많아지면서 과학 분야가 서로 (　　　)하여 만들어진 직업이나 과학과 다른 분야가 (　　　)하여 만들어진 직업이 늘어나고 있다.

02 과학과 관련된 직업의 특징으로 옳은 것을 모두 고르시오.

ㄱ. 해당 분야에 대한 과학 지식이 필요하다. ㄴ. 문제 해결력, 의사소통 능력 등의 역량이 필요하다. ㄷ. 과학 기술이 발달함에 따라 과학과 관련된 직업의 종류는 점차 줄어들고 있다.

(　　　　　　　　　　　　　　)

03 미래의 직업에 대한 설명으로 옳지 <u>않은</u> 것은?

① 인공 지능이나 로봇 관련 기술이 다양하게 쓰일 것이다.
② 미래의 거의 모든 직업은 과학 기술의 영향을 받을 것이다.
③ 단순한 업무를 반복하는 직업이 많아질 것이다.
④ 첨단 과학 기술의 융합, 친환경, 삶의 질 향상 등과 관계 깊은 직업이 나타날 가능성이 높다.

정답 137쪽

SCIENCE

SCIENCE

2

grade

01 물질의 구성

1 원소

(1) 물질의 기본 성분에 대한 학자들의 생각

탈레스	모든 물질의 근원은 물이다.
아리스토텔레스	만물은 물, 불, 흙, 공기의 4가지 기본 성분으로 되어 있고, 이들이 조합하여 여러 물질이 만들어진다.
보일	원소는 물질을 이루는 기본 성분으로, 더 이상 분해되지 않는 단순한 물질이다. ⇒ 현대적인 원소의 개념 제시
라부아지에	실험을 통해 물이 수소와 산소로 분해되는 것을 확인하여, 물이 원소가 아님을 증명하였다. ⇒ 아리스토텔레스의 생각이 옳지 않음 증명

(2) **원소** : 더 이상 분해되지 않는, 물질을 이루는 기본 성분

1) 현재까지 120여 종의 원소가 알려져 있다.

2) 90여 가지는 자연에서 발견된 것이고, 그 밖의 원소는 인공적으로 만든 것이다.

3) 우리 주변의 모든 물질은 원소로 이루어져 있다.

4) **원소의 이용**

수소	우주 왕복선의 연료	**헬륨**	비행선의 충전 기체
산소	물질의 연소, 생물의 호흡	**구리**	전선
철	기계, 건축 재료	**규소**	반도체 소자
금	장신구의 재료	**질소**	과자 봉지의 충전제

(3) 원소를 확인하는 방법

1) **불꽃 반응** : 물질에 포함된 금속 원소의 종류에 따라 독특한 불꽃색을 나타내는 반응

원소	리튬	나트륨	칼륨	구리	칼슘	스트론튬
불꽃색	빨간색	노란색	보라색	청록색	주황색	빨간색

① 실험 방법이 간편하다.

② 적은 양의 시료로도 물질에 포함된 금속 원소를 확인할 수 있다.

③ 물질의 종류가 달라도 같은 금속 원소가 포함되어 있으면 불꽃 반응색이 같다.

2) **선 스펙트럼** : 빛을 분광기에 통과시킬 때 나타나는 여러 가지 색의 띠

① 금속 원소의 종류에 따라 선의 색깔, 위치, 굵기, 개수 등이 다르게 나타난다.

② 불꽃 반응색이 비슷한 원소를 구별할 수 있다. 예 리튬과 스트론튬

2 원자와 분자

(1) **원자** : 물질을 구성하는 기본 입자

1) **원자의 구조** : 원자핵과 전자로 이루어져 있다.

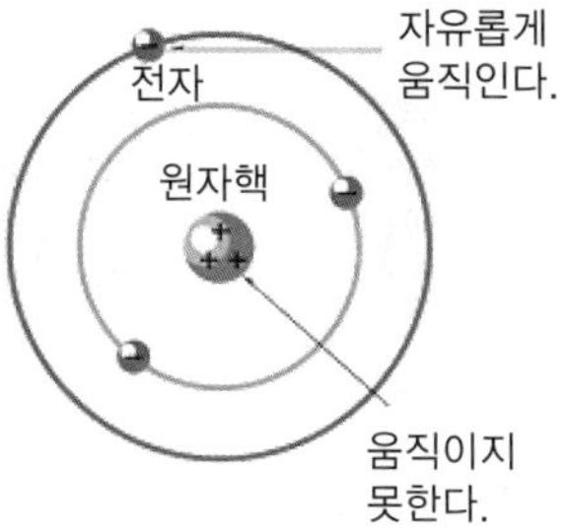

원자핵	전자
· (+)전하를 띤다. · 원자의 중심에 위치한다. · 움직이지 못한다.	· (−)전하를 띤다. · 원자핵 주위를 자유롭게 움직인다.

2) **원자의 특징**

① 크기가 매우 작아서 눈에 보이지 않는다.

② 전기적으로 중성이다. ⇒ 원자핵의 (+)전하량과 전자의 (-)전하량이 같기 때문

(2) **분자** : 물질의 성질을 나타내는 가장 작은 입자

1) 원자가 결합하여 이루어진다.

2) 결합하는 원자의 종류와 수에 따라 분자의 종류가 달라진다.

(3) **원소와 분자의 표현**

1) **원소 기호** : 첫 글자는 대문자로, 두 번째 글자는 소문자로 쓴다.

원소 이름	원소 기호	원소 이름	원소 기호
탄소	C	산소	O
수소	H	질소	N
나트륨	Na	염소	Cl

원소 이름	원소 기호	원소 이름	원소 기호
마그네슘	Mg	구리	Cu
칼슘	Ca	칼륨	K

2) 분자식을 나타내는 방법

① 분자를 이루는 원자의 종류를 원소 기호로 쓴다.

② 분자를 이루는 원자의 수를 원소 기호의 오른쪽 아래에 작은 숫자로 쓴다. (단, 1은 생략) 예 물 분자 ⇒ H_2O

3) 여러 가지 분자 모형과 분자식

분자	이산화탄소	물	암모니아	메테인
분자 모형				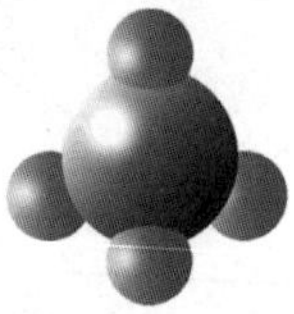
분자식	CO_2	H_2O	NH_3	CH_4

3 이온

(1) 이온 : 원자가 전자를 잃거나 얻어서 전하를 띠는 입자

구분	양이온	음이온
뜻	원자가 전자를 잃어서 (+)전하를 띠는 입자	원자가 전자를 얻어서 (−)전하를 띠는 입자
이온의 표시	원소 기호의 오른쪽 위에 잃은 전자 수와 +기호 표시 예 Na^+ : 전자 1개를 잃음 Mg^{2+} : 전자 2개를 잃음	원소 기호의 오른쪽 위에 얻은 전자 수와 −기호 표시 예 F^- : 전자 1개를 얻음 O^{2-} : 전자 2개를 얻음
이름	원소 이름 뒤에 '이온'을 붙인다.	원소 이름 뒤에 '화 이온'을 붙인다.(단, 원소 이름 끝의 '소' 생략)

(2) 이온의 확인

1) **앙금** : 양이온과 음이온이 결합하여 생성되는 물에 녹지 않는 물질

2) **앙금 생성 반응** : 두 수용액을 섞을 때 이온들이 반응하여 앙금을 생성하는 반응

수용액	앙금 생성 반응
질산 은 수용액 + 염화 나트륨 수용액	Ag^{+} + Cl^{-} → $AgCl$↓ (흰색) 은 이온 염화 이온 **염화은**
질산 납 수용액 + 아이오딘화 칼륨 수용액	Pb^{2+} + $2I^{-}$ → PbI_2↓ (노란색) 납 이온 아이오딘화 이온 **아이오딘화 납**

Exercises

01 (　　　)는 더 이상 분해되지 않는, 물질을 이루는 기본 성분이다.

02 지구 대기의 약 21%를 차지하고, 물질의 연소와 생물의 호흡에 이용되는 원소는 (　　　)이다.

03 염화나트륨과 질산나트륨은 공통으로 (　　　　)을 포함하고 있으므로, 불꽃 반응색은 모두 (　　　)색이 나타난다.

04 원자는 물질을 구성하는 기본 입자로, (　　　　)과(와) (　　　)(으)로 이루어져 있다.

05 원자는 원자핵의 (+)전하량과 전자의 (−)전하량이 같아서 전기적으로 (　　　　)이다.

06 탄소의 원소 기호는 (　　　)이고, 산소의 원소 기호는 (　　　)이다.

07 다음 그림에 해당하는 분자식으로 적절한 것은?

① CO_2 ② H_2O
③ NH_3 ④ CH_4

08 (   )은 원자가 전자를 잃거나 얻어서 전하를 띠는 입자로, 원자가 전자를 잃으면 (   )이온이 되고, 전자를 얻으면 (   )이온이 된다.

09 Ca^{2+} (칼슘 이온)은 원자가 전자 (   )개를 (   )어서 전하를 띠게 된 입자이다.

10 (   )은 양이온과 음이온이 반응하여 생성되는 물에 녹지 않는 물질이다.

정답 137쪽

02 전기와 자기

1 전기의 발생

(1) **대전과 대전체** : 물체가 전기를 띠는 현상을 대전, 전기를 띤 물체를 대전체라고 한다.

(2) **마찰 전기(정전기)** : 마찰에 의해 물체가 띠는 전기

1) **마찰 전기가 생기는 이유** : 서로 다른 물체를 마찰시키면 전자가 한 물체에서 다른 물체로 이동하기 때문

① 전자를 잃은 물체 : (+)전하로 대전

② 전자를 얻은 물체 : (−)전하로 대전

2) **전기력** : 대전체 사이에 작용하는 힘

① 인력 : 다른 전기를 띤 물체 사이에서 서로 끌어당기는 힘

② 척력 : 같은 전기를 띤 물체 사이에서 서로 밀어내는 힘

(3) **정전기 유도** : 대전되지 않은 금속 물체에 대전체를 가까이 할 때, 금속의 끝부분이 전하를 띠는 현상

1) **정전기 유도의 원인** : 금속 내부의 자유 전자들이 대전체로부터 전기력을 받아 밀려나거나 끌어당겨지기 때문

2) **유도되는 전하의 종류** : 대전체와 가까운 쪽은 대전체와 다른 종류의 전하로, 대전체와 먼 쪽은 대전체와 같은 종류의 전하로 대전된다.

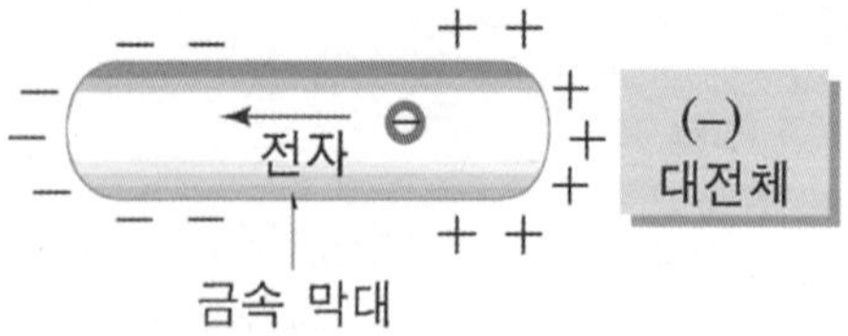

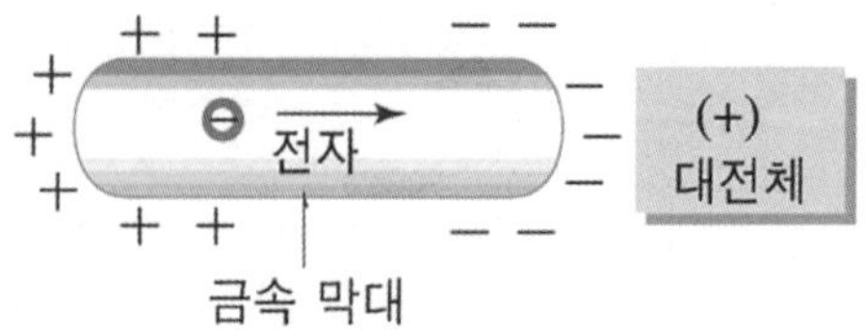

(4) **검전기** : 정전기 유도 현상을 이용하여 물체의 대전 여부를 알아보는 장치

1) **금속판** : 대전체와 다른 종류의 전하가 유도

2) **금속박** : 대전체와 같은 종류의 전하가 유도

3) **검전기로 알 수 있는 사실**

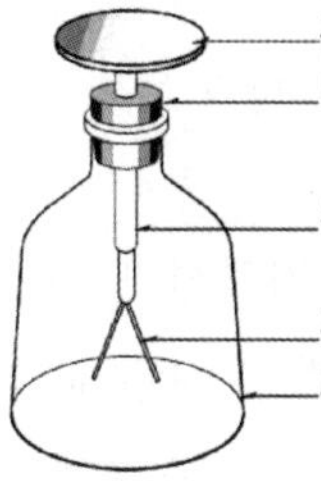

① 물체의 대전 여부 : 대전되지 않은 물체를 가까이 하면 금속박에 변화가 없지만, 대전체를 가까이 하면 금속박이 벌어진다.

② 대전된 전하의 양 : 대전된 전하의 양이 많을수록 금속박이 많이 벌어진다.

③ 대전된 전하의 종류 : 검전기와 같은 전하를 띤 대전체를 가까이 하면 금속박이 더 벌어지고, 다른 전하를 띤 대전체를 가까이 하면 금속박이 오므라든다.

2 전류, 전압, 저항

(1) **전류** : 전하의 흐름 (단위 : A 암페어)

1) **전류의 방향** : 전지의 (+)극 → (−)극 (전자의 이동 방향과 반대 방향)

2) **전류의 세기** : 1초 동안 흐른 전하의 양

(2) **전압** : 전류를 흐르게 하는 능력 (단위 : V 볼트)

⇒ 전압이 클수록 전류가 세게 흐른다.

(3) **전기 저항** : 전류의 흐름을 방해하는 정도 (단위 : Ω 옴)

⇒ 저항이 클수록 전류의 세기가 약하다.

1) **저항이 생기는 이유** : 전류가 흐를 때 전자들이 이동하면서 원자와 충돌하기 때문

2) 물질의 종류가 다르면 전기 저항이 다르고, 물질의 길이가 길수록, 단면적이 좁을수록 저항이 커진다.

(4) **옴의 법칙** : 전류의 세기는 전압에 비례하고, 저항에 반비례한다.

$$\text{전류의 세기} = \frac{\text{전압}}{\text{저항}}$$

3 전류의 자기 작용

(1) **자기장** : 자석 주위에서 자석의 힘(자기력)이 미치는 공간

1) **방향** : 자석 주위에 나침반을 놓았을 때 나침반 자침의 N극이 가리키는 방향

2) **세기** : 자석의 양 극에 가까울수록 세다.

(2) **자기력선** : 눈에 보이지 않는 자기장의 모습을 선으로 나타낸 것

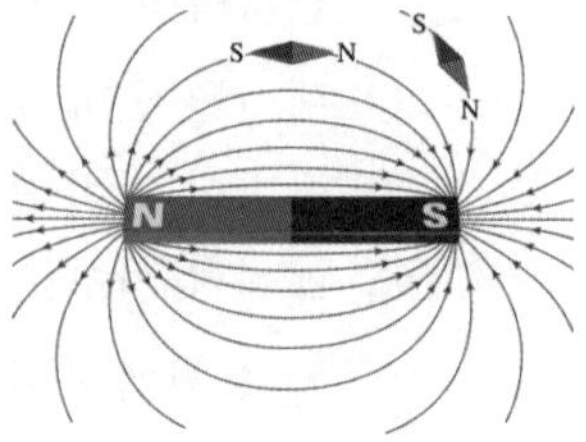

1) 항상 N극에서 나와서 S극으로 들어간다.

2) 중간에 끊어지거나 서로 교차하지 않는다.

3) 자기력선의 간격이 촘촘할수록 자기장이 세다.

(3) **직선 도선 주위의 자기장** : 자기장은 자석의 주위에만 생기는 것이 아니라 전류가 흐르는 도선 주위에도 생긴다.

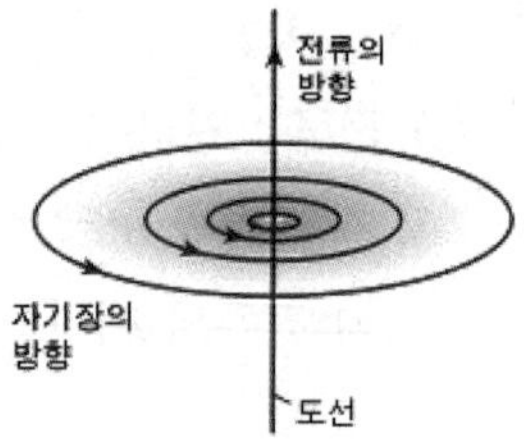

1) **자기장의 방향** : 오른손의 엄지손가락을 전류의 방향과 일치시키고 네 손가락으로 도선을 감아쥘 때, 네 손가락이 가리키는 방향 ⇒ 직선 도선을 중심으로 동심원 모양의 자기장이 형성된다.

2) 전류의 방향과 세기가 달라지면 자기장의 방향과 세기도 달라진다.

(4) **전자석** : 코일 속에 철심을 넣어 만든 자석

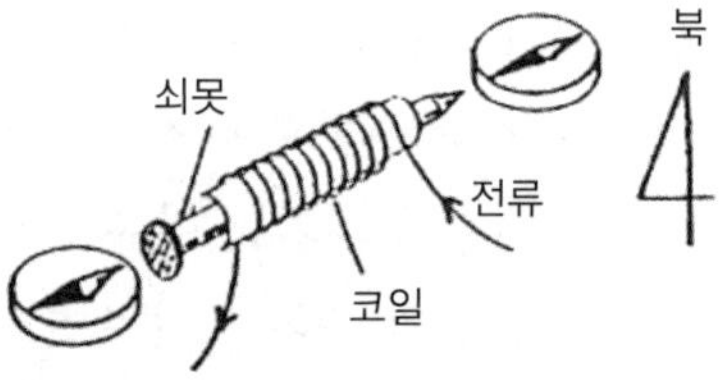

1) 전류가 흐르는 동안에만 자석이 된다.

2) 전류의 방향이 바뀌면 전자석의 극도 바뀌며, 전류의 세기에 따라 전자석의 세기가 변한다.

3) **이용** : 자기부상열차, 스피커, 전자석 기중기, 전화기, 자기 공명 영상 장치(MRI) 등

(5) **자기장에서 전류가 흐르는 도선이 받는 힘** : 자석 사이에 있는 도선에 전류가 흐르면 자석의 의한 자기장과 전류에 의한 자기장이 상호 작용하여 도선은 힘을 받는다.

1) **힘의 방향** : 오른손을 펴고 엄지손가락을 전류의 방향, 나머지 네 손가락을 자기장의 방향으로 향할 때 손바닥이 향하는 방향이다.

2) **힘의 크기** : 전류의 세기가 셀수록, 전류의 방향과 자기장의 방향이 수직일수록 크다.

3) **이용** : 전동기, 전류계, 전압계, 스피커 등

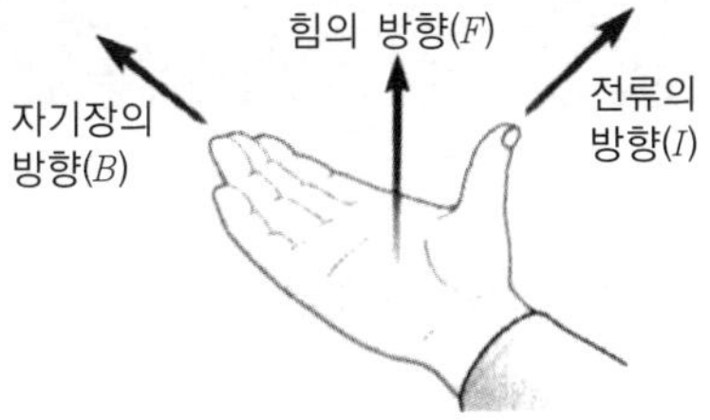

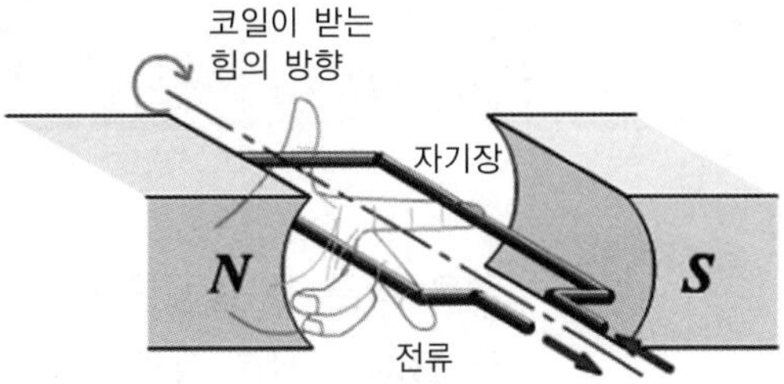

〈전동기의 회전 원리〉

Exercises

01 서로 다른 두 물체를 마찰하면 한 물체에서 다른 물체로 (   )가 이동하여 두 물체는 서로 다른 종류의 전기를 띠게 된다.

02 전기를 띠지 않는 금속 물체에 대전체를 가까이 할 때, 금속의 끝부분이 전하를 띠는 현상을 (   )라고 한다.

03 (   )로 물체의 대전 여부, 물체에 대전된 전하의 양, 물체에 대전된 전하의 종류를 알 수 있다.

04 검전기에 대전체를 가까이하면 금속판은 대전체와 (같은 / 다른) 종류의 전하로, 금속박은 대전체와 (같은 / 다른) 종류의 전하로 대전된다.

05 전류는 전하의 흐름으로, 단위는 A(암페어)를 쓴다. 이러한 전류의 방향은 (   )의 이동 방향과 반대이다.

06 전류의 흐름을 방해하는 저항은, 전류가 흐를 때 (   )들이 이동하면서 원자와 충돌하기 때문에 생긴다.

07 전류의 세기는 전압에 비례하고, 저항에 반비례한다는 법칙을 (   ) 이라 한다.

08 자기장의 방향은 자기장 내에서 자침의 (   )극이 가리키는 방향이다.

09 직선 도선 주위의 자기장은 도선을 중심으로 (   ) 모양으로 형성된다.

10 다음 중 전자석을 이용한 예가 아닌 것은?

① 자기부상열차
② 전화기
③ 스피커
④ 선풍기

11 자기장에서 전류가 흐르는 도선이 받는 힘의 방향은, 오른손을 폈을 때 엄지손가락을 전류의 방향, 나머지 네 손가락을 (   )의 방향으로 향할 때 손바닥이 향하는 방향이다.

정답 137쪽

03 태양계

1 지구

(1) 지구의 크기

1) 에라토스테네스의 측정 방법

원리	원에서 호의 길이(l)는 중심각(θ)의 크기에 비례한다.
가정	· 지구는 완전한 구형이다. · 지구로 들어오는 햇빛은 평행하다.
모식도	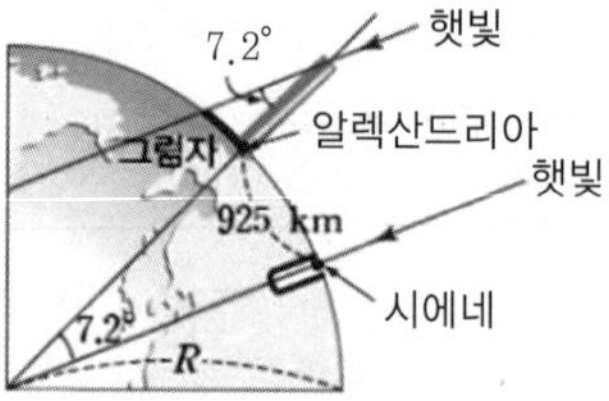
측정한 값	· 알렉산드리아와 시에네 사이의 거리 ⇒ 호의 길이(l) · 막대와 그림자 끝이 이루는 각 ⇒ 중심각(θ)
지구의 크기	$2\pi R$: $360°$ = l : θ ⇒ $R = \dfrac{360° \times l}{2\pi \times \theta}$

2) 위도 차를 이용한 측정 방법

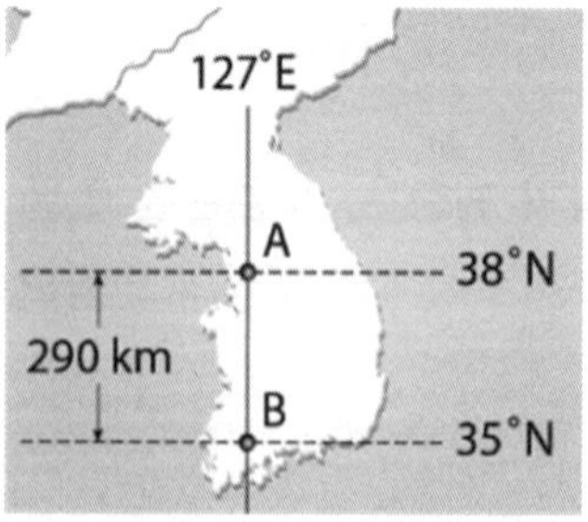

· 경도가 같고 위도가 다른 두 지점의 위도 차 = 중심각

· 지구의 크기

$2\pi R$: $360°$ = A~B 사이의 거리 : (A의 위도 − B의 위도)

(2) 지구의 자전 : 지구가 자전축을 중심으로 하루에 한 바퀴씩 서쪽에서 동쪽으로 도는 운동

1) 천체의 일주 운동 : 태양의 일주 운동(낮과 밤의 반복), 달과 별의 일주 운동

⇒ 실제 운동이 아닌 지구 자전에 의한 겉보기 운동

(3) **지구의 공전** : 지구가 태양을 중심으로 일 년에 한 바퀴씩 서쪽에서 동쪽으로 도는 운동

1) 태양과 별의 연주 운동 ⇒ 지구 공전에 의한 겉보기 운동

2) **계절별 별자리 변화** : 지구가 공전하며 태양의 위치가 달라짐에 따라 지구에서 보이는 별자리도 달라진다.

3) **밤낮의 길이 변화**

2 달

(1) 달의 크기

1) **달의 크기 측정**

원리	서로 닮은 두 삼각형에서 대응변의 길이 비는 일정하다.
모식도	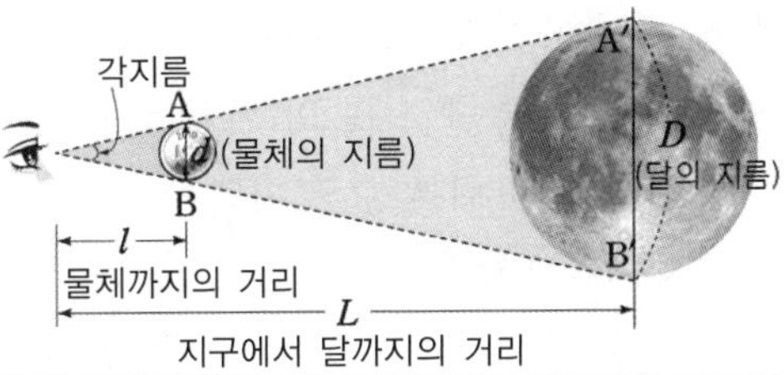
측정한 값	물체의 지름(d), 물체까지의 거리(l)
미리 알아야 할 값	지구에서 달까지의 거리(L)
달의 크기	$d:D = l:L \Rightarrow D = \dfrac{d \times L}{l}$

2) **달의 실제 크기** : 달의 지름은 약 3,500km로, 지구 지름의 약 1/4이다.

(2) 달의 공전과 위상 변화

1) **달의 공전** : 달이 지구를 중심으로 약 한 달에 한 바퀴씩 서쪽에서 동쪽으로 도는 운동

2) **달의 위상 변화** : 약 한 달을 주기로 삭 → 상현 → 망 → 하현으로 모양이 변한다.

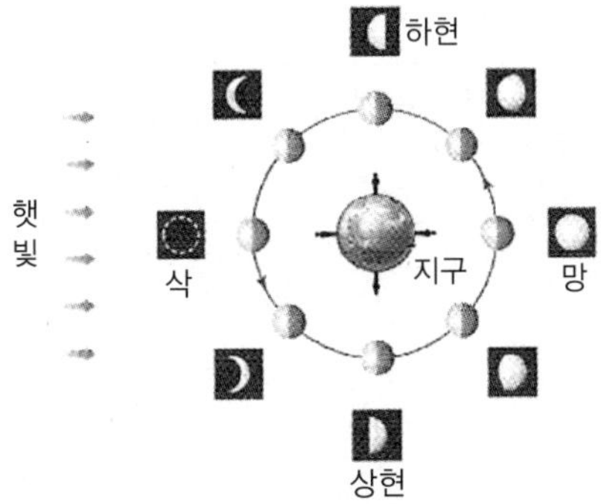

(3) 일식과 월식

1) **일식** : 지구에서 볼 때 달이 태양을 가리는 현상

① 위치 관계 : 태양 - 달 - 지구 ⇒ 달의 위치는 **삭**

② 관측 지역 : 달의 본그림자가 닿는 지역은 개기일식, 달의 반그림자가 닿는 지역은 부분일식이 일어난다.

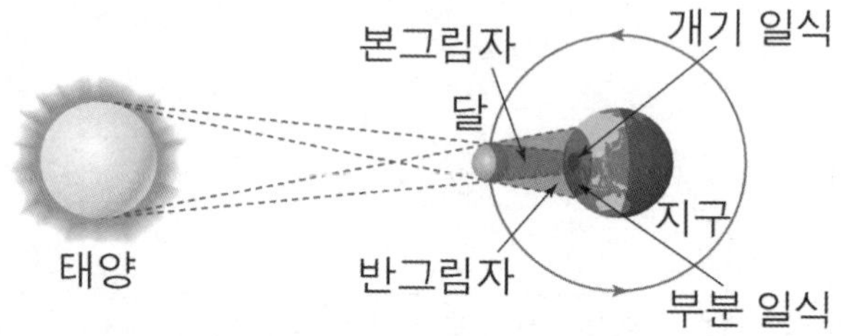

2) **월식** : 지구에서 볼 때 달이 지구 그림자에 가려지는 현상

① 위치 관계 : 태양 - 지구 - 달 ⇒ 달의 위치는 **망**

② 관측 지역 : 지구에서 밤이 되는 모든 지역

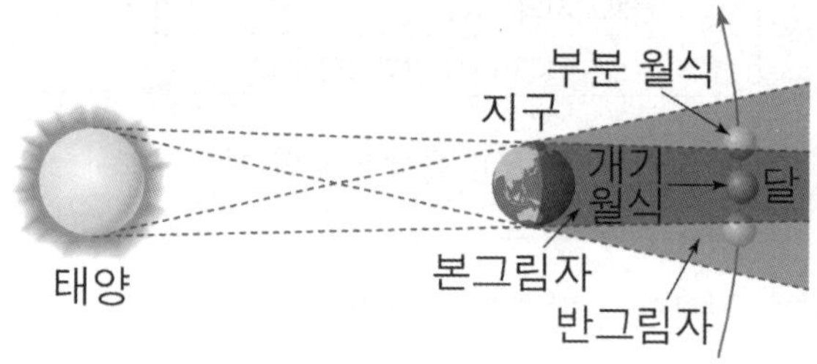

3 태양계의 구성

(1) **태양** : 태양계에서 유일하게 스스로 빛을 내는 천체로, 지구에서 가장 가까운 별

1) **태양의 특징**

표면 (광구)	흑점	광구에 나타나는 검은 점으로, 주변보다 온도가 낮음
	쌀알무늬	광구에 쌀알을 뿌려놓은 것 같은 무늬
대기	채층	광구 바로 위에 보이는 얇고 붉은 가스층
	홍염	태양 표면에서 고온의 가스 불기둥이 솟아오르는 현상
	코로나	채층 밖으로 나타나는 청백색의 희미한 가스층
	플레어	흑점 주변의 폭발로, 많은 양의 에너지가 한꺼번에 방출되는 현상

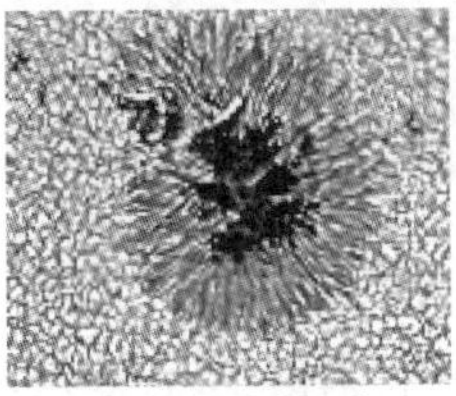
흑점과 쌀알무늬

코로나

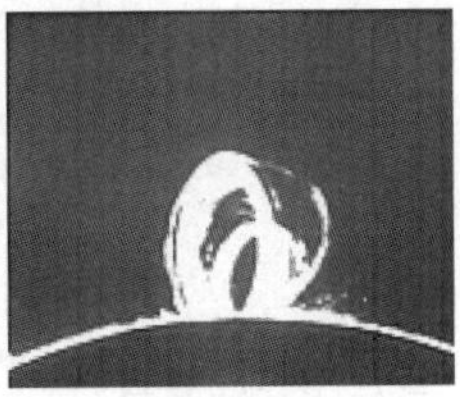
채층과 홍염

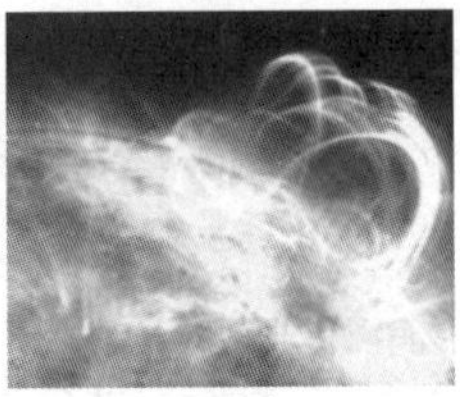
플레어

2) **태양 활동이 활발할 때 나타나는 현상**

① 흑점 수가 많아진다. ⇒ 흑점 수가 최대일 때 태양의 활동이 가장 활발하다.

② 코로나의 크기가 커진다.

③ 홍염, 플레어가 자주 발생한다.

(2) 태양계 행성

1) **행성의 분류**

① 내행성과 외행성

구분	내행성	외행성
행성	수성, 금성	화성, 목성, 토성, 천왕성, 해왕성
공전궤도	지구 공전 궤도 안쪽에서 공전	지구 공전 궤도 바깥쪽에서 공전

② 지구형 행성과 목성형 행성

구분	행성	크기	질량	밀도	위성수	고리	표면
지구형 행성	수성, 금성, 지구, 화성	작다	작다	크다	없다 (적다)	없다	단단한 암석
목성형 행성	목성, 토성, 천왕성, 해왕성	크다	크다	작다	많다	있다	기체

2) **행성의 특징**

수성	크기가 가장 작고, 대기가 없어 밤낮의 온도 차가 큼. 운석구덩이 많음.
금성	두꺼운(95%) 이산화탄소 대기가 있어 표면 온도가 매우 높음.(약 500℃)
화성	붉은 색을 띠고, 흰색의 극관과 물이 흘렀던 흔적이 있음.
목성	크기가 가장 크고, 가로줄무늬와 대적점(붉은점)이 나타남.
토성	크기가 두 번째로 크고, 밀도가 가장 작으며, 뚜렷한 고리가 있음.
천왕성	청록색을 띠고, 자전축이 공전 궤도면과 거의 나란함.
해왕성	파란색을 띠고, 대흑점(검은점)이 나타남.

Exercises

01 태양의 일주 운동(낮과 밤의 반복), 달과 별의 일주 운동은 지구 (자전 / 공전)과 관련이 있다. 이는 한 바퀴 도는 데 (하루 / 1년)이(가) 걸린다.

02 태양과 별의 연주 운동, 계절별 별자리 변화는 지구 (자전 / 공전)과 관련이 있다. 이는 한 바퀴 도는 데 (하루 / 1년)이(가) 걸린다.

03 다음 그림은 달의 공전을 나타낸 것이다. 달이 (가)에 있을 때 지구에서 보이는 달의 모양은?

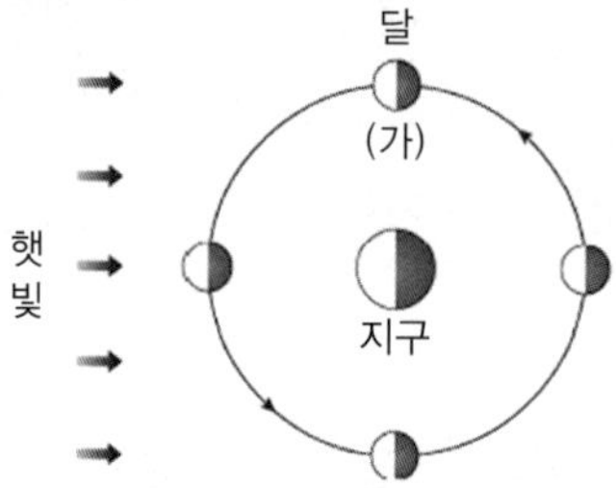

① 삭(보이지 않음)
② 상현달
③ 망(보름달)
④ 하현달

04 지구에서 관측되는 달의 모양이 매일 조금씩 달라지는 까닭으로 옳은 것은?

① 달이 자전하기 때문
② 지구가 자전하기 때문
③ 달이 태양을 중심으로 공전하기 때문
④ 달이 지구를 중심으로 공전하기 때문

05 지구에서 볼 때 달이 태양을 가리는 현상을 (　　)이라 한다. 태양 – 달 – 지구 순서로 일직선을 이루고, 이 때 달의 위치는 (삭 / 망)이다.

06 태양의 ( )에서는 흑점과 쌀알무늬를 볼 수 있고, 태양의 ( )에서는 채층, 홍염, ( ), 플레어를 볼 수 있다.

07 지구의 공전 궤도 안쪽에서 공전하는 행성을 ( )이라 하고, 지구의 공전 궤도 바깥쪽에서 공전하는 행성을 ( )이라 한다.

08 지구형 행성은 목성형 행성에 비해 크기와 질량은 작지만, ( )는 크다.

09 ( )은 표면이 붉은색을 띠고, 흰색의 극관과 물이 흘렀던 흔적이 있다.

10 태양계에서 두 번째로 큰 행성으로, 밀도가 가장 작으며, 뚜렷한 고리가 있는 것은 ( )이다.

정답 138쪽

04 식물과 에너지

1 광합성

(1) **광합성** : 식물이 빛에너지를 이용하여 이산화탄소와 물을 원료로 양분을 만드는 과정

이산화탄소 + 물 —빛에너지→ 포도당 + 산소

1) **광합성 장소** : 엽록체(식물 세포에 있는 초록색의 작은 알갱이)

2) **광합성이 일어나는 시기** : 빛이 있을 때(낮)

3) **광합성에 필요한 요소** : 이산화탄소, 물, 빛에너지

4) **광합성으로 만들어지는 물질** : 포도당, 산소

5) **광합성에 영향을 주는 환경 요인** : 빛의 세기, 이산화탄소 농도, 온도

빛의 세기	광합성량은 빛의 세기가 셀수록 증가하고, 빛이 일정 세기 이상이 되면 더 이상 증가하지 않는다.
이산화탄소 농도	광합성량은 이산화탄소 농도가 높을수록 증가하고, 이산화탄소 농도가 일정 농도 이상이 되면 더 이상 증가하지 않는다.
온도	광합성량은 온도가 높을수록 증가하고, 일정 온도 이상에서는 급격하게 감소한다.

(2) **증산 작용** : 식물체 속의 물이 수증기로 변하여 잎의 기공을 통해 공기 중으로 빠져나가는 현상

1) **증산 작용 장소** : 기공(잎의 표피에 있는 작은 구멍)

2) **증산 작용이 잘 일어나는 시기** : 기공은 주로 낮에 열리고 밤에 닫히므로, 증산 작용은 낮에 활발하게 일어난다.

3) **증산 작용의 의의**

① 뿌리에서 흡수한 물이 잎까지 이동하는 원동력

② 식물 내부의 물을 밖으로 내보내어 수분량을 조절

③ 물이 증발하면서 주변의 열을 흡수하므로, 식물과 주변의 온도를 낮춤

4) 증산 작용이 잘 일어나는 환경 조건

햇빛 – 강할 때, 온도 – 높을 때, 습도 – 낮을 때, 바람 – 잘 불 때

2 식물의 호흡

(1) 호흡 : 세포에서 양분을 분해하여 생명 활동에 필요한 에너지를 얻는 과정

포도당 + 산소 ⟶ 이산화탄소 + 물 + 에너지

1) **호흡 장소** : 식물체를 구성하는 모든 살아 있는 세포

2) **호흡이 일어나는 시기** : 항상 (낮과 밤)

3) **호흡에 필요한 물질** : 포도당, 산소

4) **호흡으로 생성되는 요소** : 이산화탄소, 물, 에너지

(2) 식물의 기체 교환 : 낮과 밤에 반대로 나타난다.

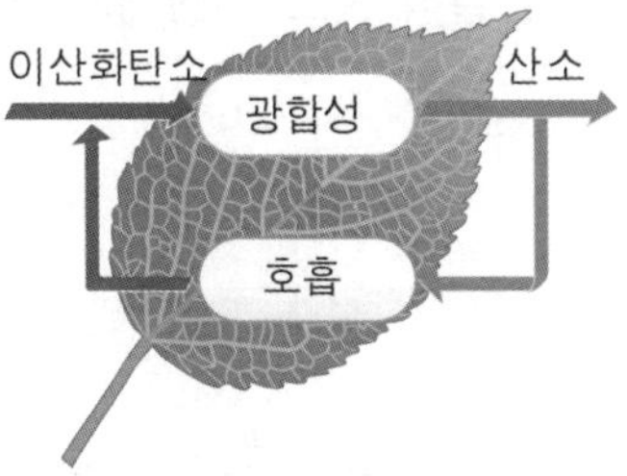

낮	· 빛이 강하여 광합성이 활발하게 일어난다. · 광합성량 〉 호흡량 ⇒ 이산화탄소 흡수, 산소 방출
밤	· 빛이 없어 광합성이 일어나지 않는다. · 호흡만 일어남 ⇒ 산소 흡수, 이산화탄소 방출

(3) 광합성으로 만든 양분의 사용

1) **생성** : 엽록체에서 광합성으로 만들어진 포도당은 잎에서 사용되거나, 일부가 녹말로 바뀌어 저장된다.

2) **이동** : 물에 잘 녹지 않는 녹말은 주로 물에 잘 녹는 설탕으로 바뀌어 밤에 체관을 통해 각 기관으로 운반된다.

3) **사용**

① 호흡으로 생명 활동에 필요한 에너지를 얻는 데 사용된다.

② 식물의 몸을 구성하는 성분이 되어 식물이 생장하는 데 사용된다.

4) **저장** : 여러 가지 생명 활동에 사용되고 남은 양분은 녹말, 포도당, 단백질, 지방, 설탕 등 다양한 물질로 바뀌어 뿌리, 줄기, 열매, 씨 등에 저장된다.

녹말	포도당	단백질	지방	설탕
감자, 고구마	양파, 포도	콩	깨, 땅콩	사탕수수

Exercises

01 광합성이 일어나는 장소는 (   )이다.

02 다음은 광합성 과정을 식으로 나타낸 것이다. (   ) 안에 알맞은 말을 쓰시오.

(   ) + 물 $\xrightarrow{\text{빛에너지}}$ 포도당 + (   )

03 광합성량은 온도가 높을수록 (증가 / 감소)하며, 일정 온도 이상에서는 급격하게 (증가 / 감소)한다.

04 식물체 속의 물이 수증기로 변하여 잎의 기공을 통해 공기 중으로 빠져나가는 현상을 무엇이라 하는가?

(   )

05 다음 중 증산 작용이 잘 일어나는 환경 조건을 모두 고르면?

ㄱ. 햇빛이 강할 때	ㄴ. 온도가 낮을 때
ㄷ. 습도가 높을 때	ㄹ. 바람이 잘 불 때

(   )

06

식물의 호흡에 대한 설명으로 옳은 것은 ○, 옳지 않은 것은 ×로 표시하시오.

(1) 빛이 없는 밤에만 일어난다. ·· (   )

(2) 호흡으로 생성된 이산화탄소는 광합성에 이용되지 않는다. ········· (   )

(3) 호흡에 필요한 포도당은 광합성으로 만들어진다. ······················ (   )

(4) 모든 살아 있는 세포에서 일어난다. ······································ (   )

07

광합성과 호흡에 대한 설명으로 옳은 것은?

① 광합성은 양분을 분해하는 작용이다.

② 광합성과 호흡 결과 모두 이산화탄소가 방출된다.

③ 호흡으로 생명 활동에 필요한 에너지를 얻는다.

④ 광합성은 빛이 있을 때 모든 살아 있는 세포에서 일어난다.

정답 138쪽

05 동물과 에너지

1 소화

(1) 동물 몸의 구성 단계 : 세포 → 조직 → 기관 → 기관계 → 개체

세포	생물의 몸을 구성하는 기본 단위
조직	모양과 기능이 비슷한 세포가 모인 단계
기관	여러 조직이 모여 고유한 모양과 기능을 갖춘 단계 예 위, 간, 폐, 소장, 심장, 콩팥, 방광 등
기관계	관련된 기능을 하는 몇 개의 기관이 모여 유기적 기능을 수행하는 단계 예 소화계 : 양분을 소화하여 흡수 순환계 : 여러 가지 물질을 온몸으로 운반 호흡계 : 기체를 교환 배설계 : 노폐물을 걸러 몸 밖으로 배출
개체	여러 기관계가 모여 이루어진 독립된 생물체 예 사람, 고양이, 개

(2) 영양소

1) 영양소의 종류와 특징

영양소	특징	함유 식품
탄수화물	· 주로 에너지원(약 4kcal/g)으로 이용 · 남은 것은 지방으로 바뀌어 저장	밥, 빵, 감자, 고구마
단백질	· 주로 몸을 구성, 에너지원(약 4kcal/g)으로도 이용 · 몸의 기능을 조절(효소, 항체, 호르몬 등)	고기, 생선, 달걀, 두부
지방	· 몸을 구성하거나 에너지원(약 9kcal/g)으로 이용	버터, 기름
물	· 몸의 구성 성분 중 가장 많음 ⇒ 약 60~70% · 영양소와 노폐물 등 여러 가지 물질 운반, 체온 조절	–
바이타민	· 적은 양으로 몸의 기능을 조절 · 종류 : 바이타민 A, B_1, C, D 등	채소, 과일
무기염류	· 뼈, 이, 혈액 등을 구성, 몸의 기능을 조절 · 종류 : 칼슘, 나트륨, 철, 칼륨, 마그네슘, 인 등	멸치, 버섯, 다시마, 우유

2) 영양소 검출

영양소	검출 용액	색깔 변화
녹말	아이오딘-아이오딘화 칼륨 용액	청람색
포도당	베네딕트 용액 + 가열	황적색
단백질	뷰렛용액 : 5% 수산화나트륨 수용액 + 1% 황산 구리(Ⅱ) 수용액	보라색
지방	수단 Ⅲ 용액	선홍색

(3) **소화** : 음식물 속의 크기가 큰 영양소를 크기가 작은 영양소로 분해하는 과정

1) **소화 과정** : 녹말은 포도당으로, 단백질은 아미노산으로, 지방은 지방산과 모노글리세리드로 분해된다.

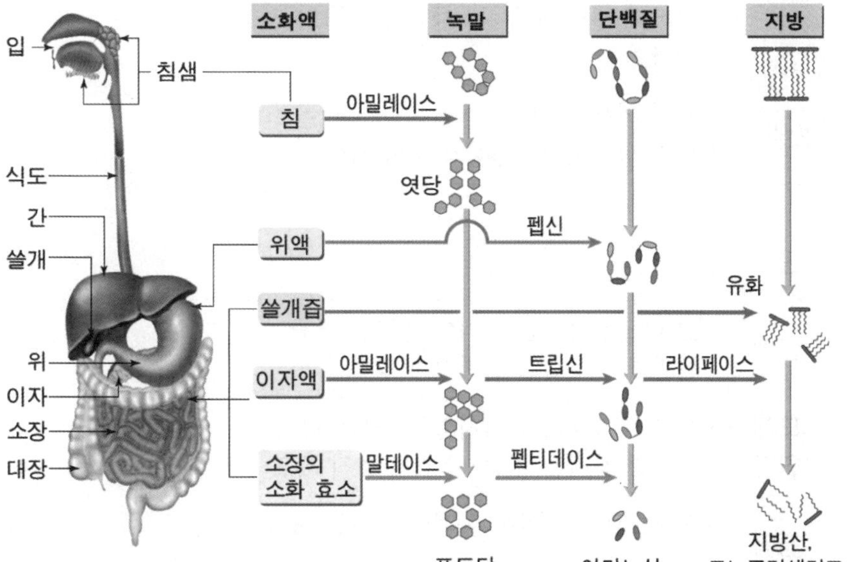

① 입 : 침 속의 아밀레이스가 녹말을 엿당으로 분해한다.

② 위 : 위액 속의 펩신이 염산의 도움을 받아 단백질을 분해한다.

③ 소장

· 쓸개즙 : 간에서 생성되어 쓸개에 저장되었다가 소장으로 분비되어 지방의 소화를 돕는다.

· 이자액 : 소장으로 분비되며 아밀레이스(녹말 분해), 트립신(단백질 분해), 라이페이스(지방 분해)가 들어 있다.

2) **영양소의 흡수** : 소장 융털의 모세 혈관과 암죽관으로 흡수되어 심장으로 이동한 후 온몸의 조직 세포로 운반된다.

① 수용성 영양소 : 포도당, 아미노산, 무기염류 ⇒ 융털의 모세 혈관으로 흡수

② 지용성 영양소 : 지방산, 모노글리세리드 ⇒ 융털의 암죽관으로 흡수

2 순환

(1) **심장** : 혈액 순환의 원동력(2심방 2심실)

심방	· 심장으로 혈액이 들어오는 부위 · 정맥과 연결
심실	· 심장에서 혈액을 내보내는 부위 · 동맥과 연결 · 심방보다 벽이 두껍고, 좌심실의 벽이 가장 두껍다.
판막	· 혈액의 역류 방지 · 심방과 심실 사이, 심실과 동맥 사이에 존재

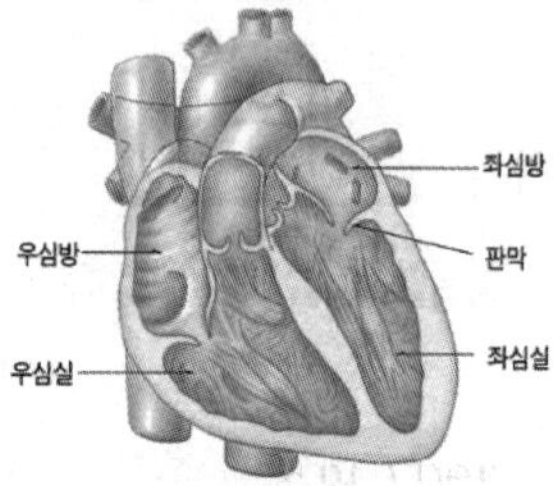

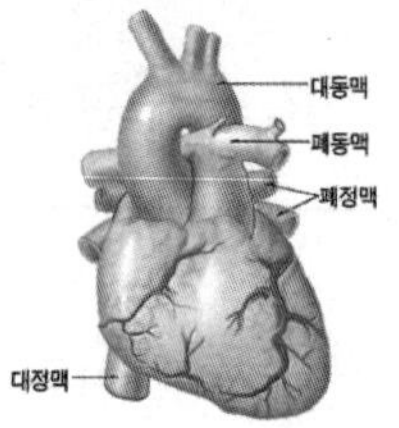

(2) **혈관**

동맥	· 심장에서 나가는 혈액이 흐르는 혈관 · 혈관벽이 두껍고 탄력성이 강하다.
모세 혈관	· 온몸에 그물처럼 퍼져있는 가느다란 혈관 · 동맥과 정맥을 연결, 주위의 조직 세포와 물질 교환
정맥	· 심장으로 들어가는 혈액이 흐르는 혈관 · 곳곳에 판막이 있다.

(3) **혈액** : 세포 성분인 혈구(45%)와 액체 성분인 혈장(55%)으로 이루어져 있다.

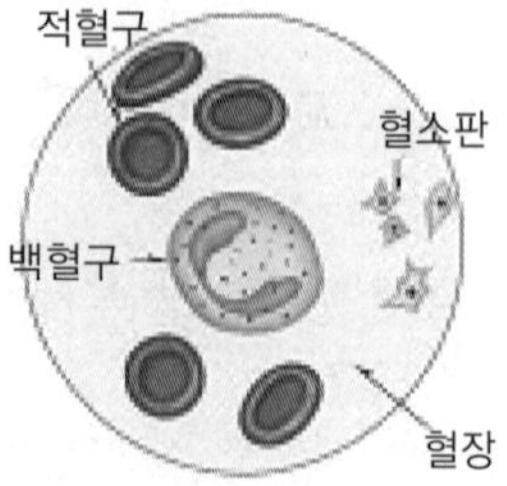

혈구	적혈구	· 가운데가 오목한 원반형 · 산소 운반(헤모글로빈)
	백혈구	· 모양이 일정하지 않음 · 식균 작용
	혈소판	· 모양이 일정하지 않음 · 혈액 응고 작용
혈장		· 물이 주성분(약 90%) ⇒ 체온 조절 · 영양소, 이산화탄소, 노폐물 등을 운반

(4) 혈액 순환

1) **폐순환(= 소순환)** : 우심실 → 폐동맥 → 폐의 모세 혈관 → 폐정맥 → 좌심방

2) **체순환(= 대순환)** : 좌심실 → 대동맥 → 온몸의 모세 혈관 → 대정맥 → 우심방

3 호흡

(1) 호흡 기관

1) **코** : 털과 끈끈한 점액이 먼지를 걸러낸다.

2) **기관** : 안쪽의 섬모가 먼지나 세균을 걸러낸다.

3) **기관지** : 기관의 끝 부분이 2갈래로 나누어진 관으로 좌우 폐와 연결된다.

4) **폐** : 좌우 한 쌍으로 존재하며, 수많은 폐포(폐를 구성하는 작은 공기주머니)로 이루어져 있어 공기와 닿는 표면적이 매우 넓다. ⇒ 기체 교환이 효율적으로 일어날 수 있다.

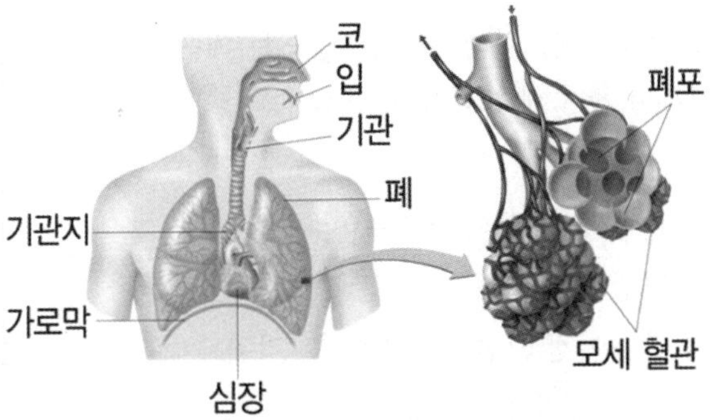

(2) 호흡 운동 : 폐의 운동은 갈비뼈와 가로막의 상하 운동에 의해 이루어진다.

구분	갈비뼈	가로막	흉강	압력	공기 이동
들숨	올라감	내려감	넓어짐	낮아짐	외부 → 폐
날숨	내려감	올라감	좁아짐	높아짐	폐 → 외부

(3) 기체 교환 : 기체의 농도 차이에 따른 확산에 의해 기체 교환이 일어난다.

폐에서의 기체 교환	조직 세포에서의 기체 교환
폐포 $\underset{\text{이산화탄소}}{\overset{\text{산소}}{\rightleftarrows}}$ 모세 혈관	모세 혈관 $\underset{\text{이산화탄소}}{\overset{\text{산소}}{\rightleftarrows}}$ 조직 세포

4 배설

(1) **배설** : 콩팥에서 오줌을 만들어 요소와 같은 노폐물을 몸 밖으로 내보내는 과정

(2) 노폐물의 생성과 배설

분해 영양소	노폐물	몸 밖으로 나가는 방법
탄수화물, 단백질, 지방	이산화탄소	폐에서 날숨으로 나간다.
탄수화물, 단백질, 지방	물	폐에서 날숨으로 나가거나, 콩팥에서 오줌으로 나간다.
단백질	암모니아	간에서 독성이 약한 요소로 바뀐 다음 콩팥에서 오줌으로 나간다.

(3) 배설계의 구조

1) **콩팥** : 혈액 속의 노폐물을 걸러 오줌을 만드는 기관

① 콩팥 겉질과 콩팥 속질에 네프론이 있다.

② 네프론 : 오줌을 만드는 단위

⇒ 사구체, 보먼주머니, 세뇨관으로 이루어진다.

2) **오줌관** : 콩팥과 방광을 연결하는 긴 관

3) **방광** : 콩팥에서 만들어진 오줌을 모아두는 기관

4) **요도** : 방광에 모인 오줌이 몸 밖으로 나가는 통로

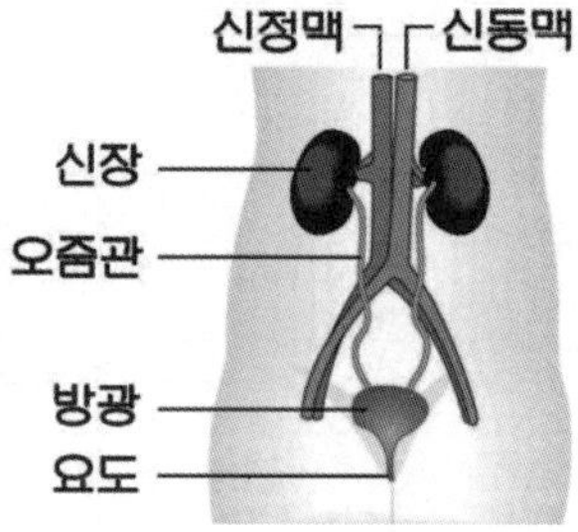

(4) 오줌의 생성 과정

여과	크기가 작은 물질이 [사구체 → 보먼주머니]로 이동하는 현상	· 물, 요소, 포도당, 아미노산, 무기염류 등이 여과
재흡수	몸에 필요한 물질이 [세뇨관 → 모세혈관]으로 이동하는 현상	· 포도당, 아미노산 : 전부 재흡수 · 물, 무기염류 : 대부분 재흡수
분비	노폐물이 [모세 혈관 → 세뇨관]으로 이동하는 현상	· 미처 여과되지 않고 혈액에 남아있던 노폐물

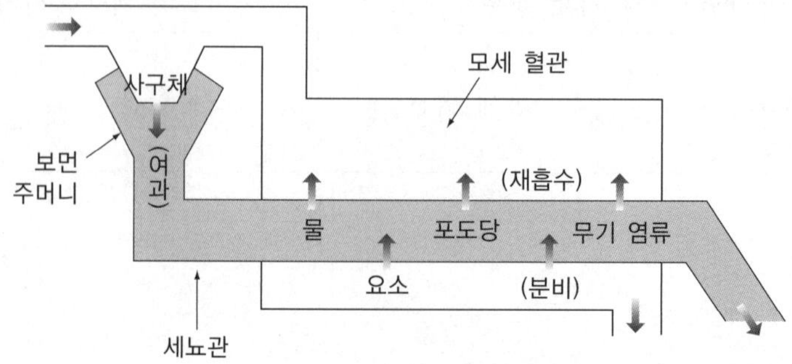

Exercises

01 다음에 해당하는 기관계를 알맞게 써 넣으시오.

(1) 기체 교환을 담당한다. ………………………………………… (　　　　)

(2) 온몸으로 물질을 운반한다. ……………………………………… (　　　　)

(3) 양분을 소화하여 흡수한다. ……………………………………… (　　　　)

(4) 노폐물을 걸러 몸 밖으로 내보낸다. …………………………… (　　　　)

02 다음에서 에너지원으로 쓰이는 영양소를 모두 고르시오.

탄수화물, 물, 무기염류, 지방, 단백질, 바이타민

03 (　　　　)는 음식물 속의 크기가 큰 영양소를 크기가 작은 영양소로 분해하는 과정이다.

04 심장에서 나가는 혈액이 흐르는 혈관은 (　　　　)이고, 심장으로 들어가는 혈액이 흐르는 혈관은 (　　　　)이다.

05 출혈 시 혈액의 성분 중 응고 작용을 하는 것은 (　　　　)이고, 체내에 침입한 세균을 잡아먹어 우리 몸을 보호하는 것은 (　　　　)이다.

06 각 설명에 해당하는 구조를 쓰시오.

(1) 차고 건조한 공기를 따뜻하고 축축하게 만든다. ··························· (　　　)

(2) 수많은 폐포로 이루어져 있어 기체 교환이 효율적으로 일어난다. ··· (　　　)

07 폐는 근육이 없어 스스로 커지거나 작아지지 못하므로 흉강을 둘러싸고 있는 (　　　　　)와(과) (　　　　　)의 움직임에 의해 호흡 운동이 일어난다.

08 콩팥에서 오줌을 만들어 요소와 같은 노폐물을 몸 밖으로 내보내는 과정을 (　　　)이라 한다.

09 네프론을 구성하는 <u>세 가지</u> 구조의 이름은?

10 다음은 오줌의 생성 과정이다. 빈칸에 알맞은 단어를 쓰시오.

(1) 여과 : 사구체 → (　　　　　　　)

(2) 재흡수 : (　　　　　　) → 모세 혈관

(3) 분비 : 모세 혈관 → (　　　　　)

정답 138쪽

06 물질의 특성

1 물질의 특성

(1) 물질의 분류

1) **순물질** : 한 가지 물질로 이루어진 물질 ⇒ 물질의 고유한 성질을 나타낸다.

   예 금, 구리, 산소, 염화나트륨, 물 등

2) **혼합물** : 두 가지 이상의 순물질이 섞여 있는 물질 ⇒ 성분 물질의 성질을 그대로 가진다.

균일 혼합물	불균일 혼합물
두 가지 이상의 순물질이 <u>고르게</u> 섞여 있는 물질	두 가지 이상의 순물질이 <u>고르지 않게</u> 섞여 있는 물질
예 소금물, 설탕물, 공기, 합금 등	예 흙탕물, 우유, 암석 등

(2) **물질의 특성** : 다른 물질과 구별되는 그 물질만이 가지는 고유한 성질

예 색깔, 맛, 끓는점, 녹는점, 어는점, 밀도, 용해도 등

(3) **끓는점** : 액체 물질이 끓기 시작하는 온도

1) 물질의 종류에 따라 다르며, 같은 종류의 물질은 양에 관계없이 일정하다.
2) 외부 압력이 높아지면 끓는점이 높아진다.

(4) 녹는점과 어는점

1) **녹는점** : 고체 물질이 녹기 시작하는 온도
2) **어는점** : 액체 물질이 얼기 시작하는 온도
3) 녹는점과 어는점은 물질의 종류에 따라 다르며, 같은 종류의 물질은 양에 관계없이 일정하다.

(5) **밀도** : 물질의 질량을 부피로 나눈 값

1) 물질에 따라 고유한 값을 갖는다.
2) 밀도가 큰 물질은 아래로 가라앉고, 밀도가 작은 물질은 위로 뜬다.
3) 같은 물질인 경우 밀도는 기체 〈 액체 〈 고체 순으로 증가한다.

   예외) 물의 밀도 〉 얼음의 밀도

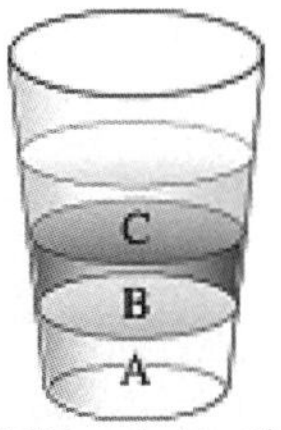

(밀도 : A>B>C)

(6) 용해도 : 어떤 온도에서 용매 100g에 최대로 녹을 수 있는 용질의 수

1) **용해** : 한 물질이 다른 물질에 녹아 고르게 섞이는 현상

2) **용매** : 다른 물질을 녹이는 물질

3) **용질** : 다른 물질에 녹는 물질

4) **용액** : 용매와 용질이 고르게 섞여 있는 물질

용매 + 용질 —용해→ 용액

5) **고체의 용해도** : 일반적으로 온도가 높을수록 용해도는 증가한다. (압력의 영향은 거의 받지 않는다.)

6) **기체의 용해도** : 온도가 낮을수록, 압력이 높을수록 증가한다. 예 탄산음료

7) **용해도 곡선** : 어떤 용질의 온도에 따른 용해도 변화를 나타낸 그래프

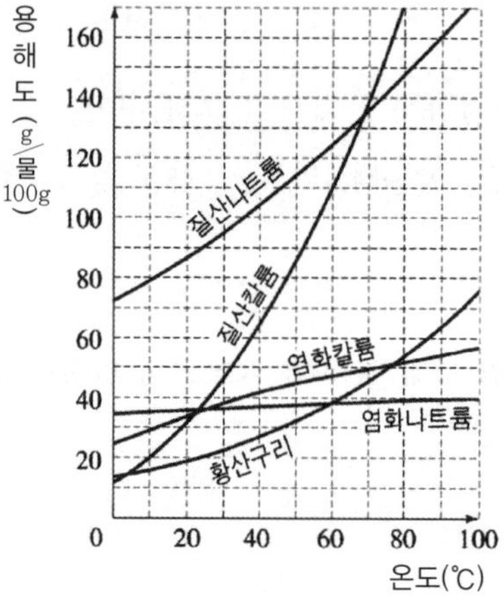

⇒ 곡선의 기울기가 급할수록 온도 변화에 따른 용해도 차이가 크다.
: 질산칼륨이 온도 변화에 따른 용해도 차이가 가장 크다.

2 혼합물의 분리

(1) 끓는점 차를 이용한 분리

1) **분별 증류** : 서로 잘 섞여 있는 액체 혼합물을 끓는점 차이를 이용하여 분리하는 방법
⇒ 끓는점이 낮은 물질이 먼저 끓어 나온다.

물과 에탄올	원유
끓는점이 낮은 에탄올이 먼저 끓어 나오고, 끓는점이 높은 물이 나중에 끓어 나온다.	끓는점이 낮은 순서로 가솔린 → 등유 → 경유 → 중유가 분리되어 나온다.
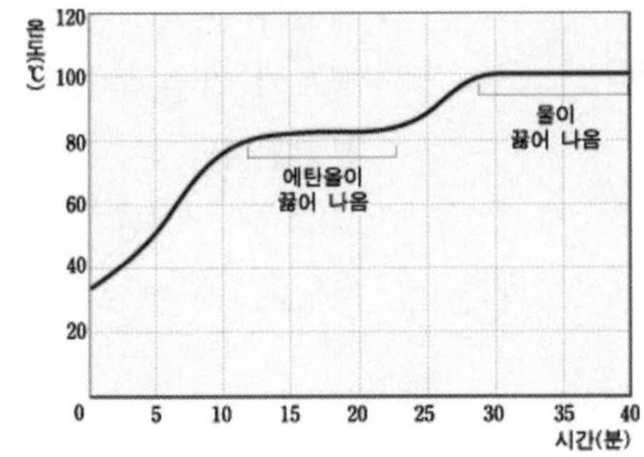	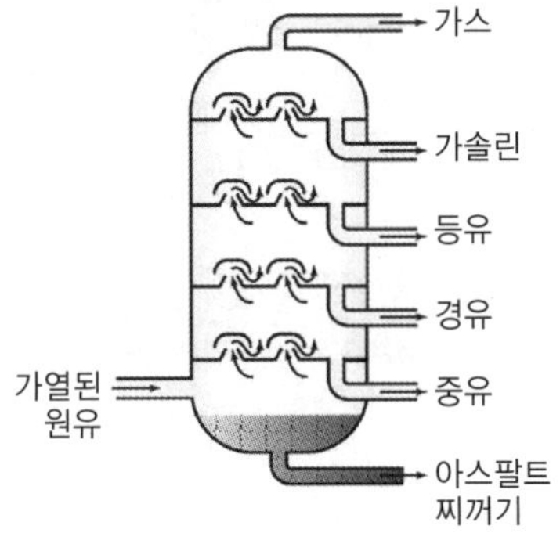

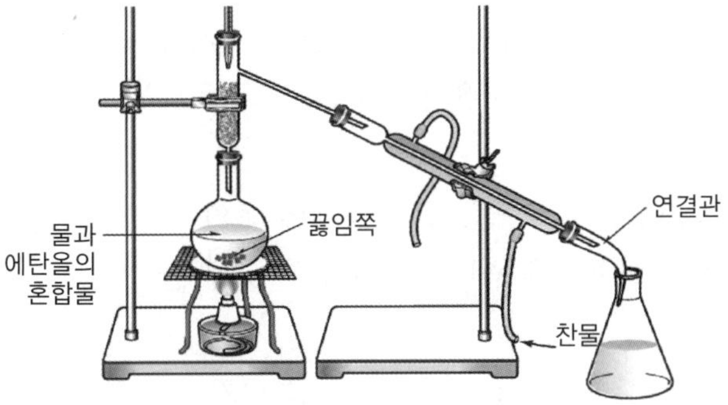

(2) 밀도 차를 이용한 분리

1) **고체 혼합물의 분리** : 두 물질을 녹이지 않고, 밀도가 두 물질의 중간 정도인 액체에 넣어 분리한다.

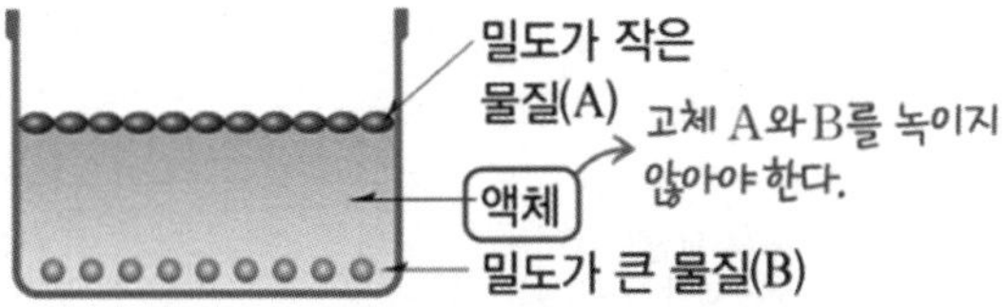

밀도 비교 : B > 액체 > A

⇒ 액체보다 밀도가 작은 물질(A)은 액체 위에 뜨고, 액체보다 밀도가 큰 물질(B)은 아래로 가라앉는다.

예 좋은 볍씨 고르기, 신선한 달걀 고르기, 스티이로폼과 모래 분리 등

2) **액체 혼합물의 분리** : 서로 섞이지 않고, 밀도가 다른 액체 혼합물의 경우 분별 깔때기를 이용하여 분리한다.

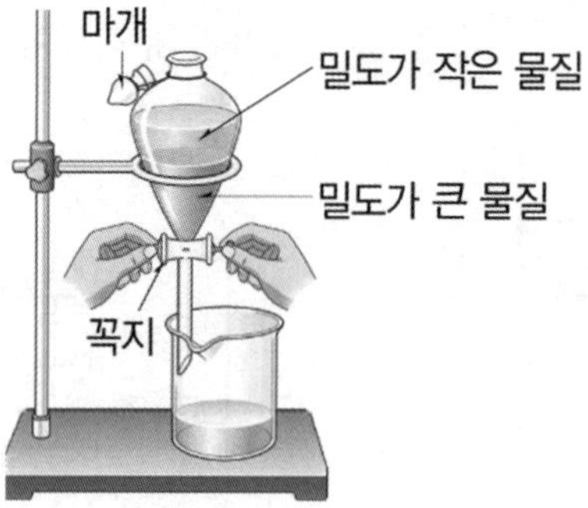

⇒ 밀도가 큰 물질은 아래층으로, 밀도가 작은 물질은 위층으로 분리된다.

예 물과 식용유, 물과 사염화탄소, 간장과 참기름 등

(3) 용해도 차를 이용한 분리

1) **거름** : 어떤 용매에 잘 녹는 고체와 잘 녹지 않는 고체가 섞여 있는 혼합물은 거름 장치를 이용하여 분리

예 소금과 모래

2) **재결정** : 불순물이 섞여 있는 고체 물질을 용매에 녹인 후 용액의 온도를 낮추거나 용매를 증발시켜 순수한 고체 물질을 얻는 방법

예 불순물이 섞인 질산칼륨에서 순수한 질산칼륨 얻기

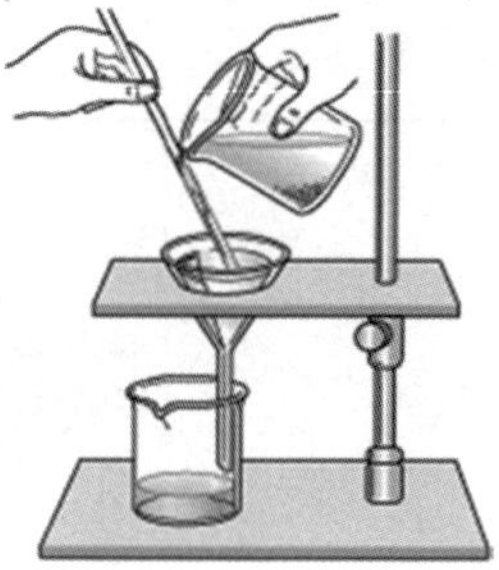

(4) 크로마토그래피 : 혼합물을 이루는 성분 물질이 용매를 따라 밀려 올라가는 속도의 차이를 이용하여 혼합물을 분리하는 방법

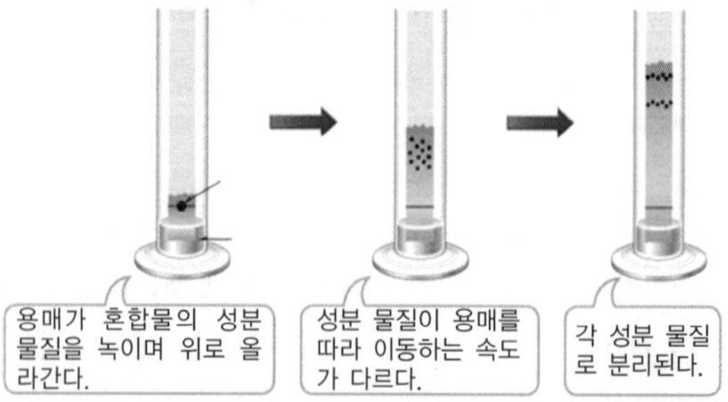

예 운동선수의 도핑 테스트, 잎의 색소 분리, 사인펜 잉크의 색소 분리 등

Exercises

01 순물질과 혼합물에 대한 설명으로 옳은 것은 O, 옳지 않은 것은 ×로 표시하시오.

(1) 순물질은 한 가지 물질로 이루어진 물질이다. ·························· (   )

(2) 혼합물은 두 가지 이상의 순물질이 섞여 있는 물질이다. ··········· (   )

(3) 혼합물은 성분 물질과 전혀 다른 새로운 성질을 가진다. ··············· (   )

02 다음 중 물질의 특성(물질을 구별할 수 있는 성질)을 모두 고르시오.

ㄱ. 색깔	ㄴ. 용해도	ㄷ. 길이	ㄹ. 끓는점
ㅁ. 부피	ㅂ. 온도	ㅅ. 녹는점	ㅂ. 질량

(   )

03 액체 물질이 끓는 동안 일정하게 유지되는 온도를 (   )이라고 한다.

04 밀도가 (   ) 물질은 밑으로 가라앉고, 밀도가 (   ) 물질은 위로 뜬다.

05 (   )는 어떤 온도에서 용액 100g에 최대로 녹을 수 있는 용질의 수이다.

06 서로 잘 섞여 있는 액체 혼합물을 끓는점 차이를 이용하여 분리하는 방법을 (   )라고 한다.

07 스타이로폼과 모래를 분리할 때 이용되는 물질의 특성은 (   )이다.

08 불순물이 섞여 있는 고체 물질을 용매에 녹인 다음 용액의 온도를 낮추거나 용매를 증발시켜 순수한 고체 물질을 얻는 방법을 (   )이라고 한다.

09 혼합물을 이루는 성분 물질이 용매를 따라 밀려 올라가는 속도의 차이를 이용하여 혼합물을 분리하는 방법을 (   )라고 한다.

정답 138쪽

07 수권과 해수의 순환

1 수권의 분포와 활용

(1) **수권의 분포** : 해수가 대부분을 차지하고, 담수는 매우 적은 양을 차지한다.

1) **해수** : 바다에 있는 물, 수권의 97% 이상, 짠맛

2) **담수** : 주로 육지에 있는 물, 짠맛이 나지 않음

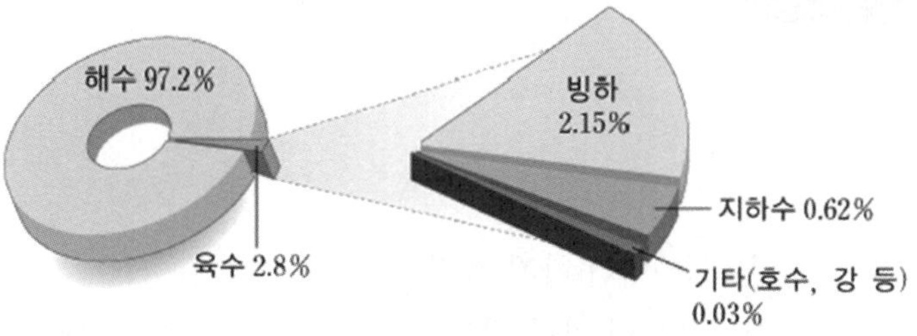

(2) **수권의 활용**

1) **수자원** : 사람이 살아가는 데 자원으로 활용하는 물

2) **수자원의 용도** : 우리나라에서는 수자원을 농업용수로 가장 많이 이용한다.

2 해수의 특성

(1) **해수의 표층 수온 분포** : 해수의 표층 수온은 위도나 계절에 따라 다르게 나타난다.

1) **영향을 주는 요인** : 태양 에너지

2) **위도별 해수의 표층 수온 분포** : 저위도에서 고위도로 갈수록 표층 수온이 낮아진다.
⇒ 저위도에서 고위도로 갈수록 태양 에너지가 적게 들어오기 때문

3) **계절별 해수의 표층 수온 분포** : 여름철의 표층 수온이 겨울철보다 높다. ⇒ 겨울철보다 여름철에 태양 에너지가 많이 들어오기 때문

(2) **해수의 연직 수온 분포** : 해수의 수온은 깊이에 따라 다르게 나타난다.

1) **영향을 주는 요인** : 태양 에너지, 바람

2) **해수의 층상 구조** : 해수는 깊이에 따른 수온 분포로 3개 층으로 구분된다.

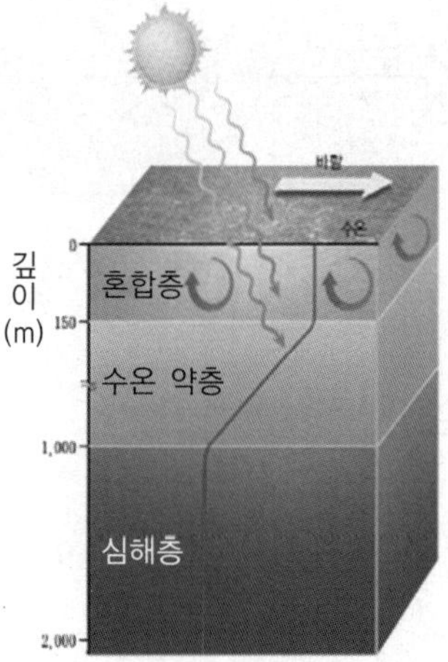

① 혼합층 : 수온이 높고, 바람의 혼합 작용으로 수온이 일정한 층 ⇒ 바람이 강할수록 두께가 두꺼워짐

② 수온 약층 : 깊이가 깊어질수록 수온이 급격하게 낮아지는 층 ⇒ 따뜻한 물이 위에 있고, 차가운 물이 아래에 있어 대류가 잘 일어나지 않고 안정됨

③ 심해층 : 수온이 낮고 일정한 층
⇒ 위도나 계절에 상관없이 수온이 거의 일정함

(3) 염류와 염분

1) **염류** : 해수에 녹아 있는 여러 가지 물질
⇒ 짠맛을 내는 염화나트륨이 가장 많고, 쓴맛을 내는 염화마그네슘이 두 번째로 많다.

2) **염분** : 해수 1000g에 녹아 있는 전체 염류의 양을 g수로 나타낸 것
⇒ 단위는 ‰(퍼밀)을 쓴다.
⇒ 전 세계 해수의 평균 염분 : 35‰

(4) 염분의 분포

1) **영향을 주는 요인**

① 증발량과 강수량 : 증발량 〈 강수량이면 염분이 낮고, 증발량 〉 강수량이면 염분이 높다.

② 담수의 유입량 : 육지로부터 담수가 많이 들어올수록 염분이 낮아진다.

③ 해빙과 결빙 : 빙하가 녹으면 염분이 낮아지고, 해수가 얼면 염분이 높아진다.

2) **우리나라 주변 바다의 염분 분포**

① 동해 〉 황해 : 황해로 강물이 더 많이 유입되기 때문

② 겨울 〉 여름 : 여름철에 강수량이 더 많기 때문

(5) 염분비 일정의 법칙 : 지역이나 계절에 따라 염분이 달라도, 전체 염류에서 각 염류가 차지하는 비율은 항상 일정하다.

3 해수의 순환

(1) **해류** : 일정한 방향으로 나타나는 지속적인 해수의 흐름

1) **발생 원인** : 지속적으로 부는 바람

2) **해류의 구분**

① 난류 : 저위도 → 고위도로 흐르는 비교적 따뜻한 해류

② 한류 : 고위도 → 저위도로 흐르는 비교적 차가운 해류

(2) **우리나라 주변 해류**

1) 쿠로시오 해류에서 갈라져 나온 동한 난류와 황해 난류가 흐른다.

2) **조경 수역** : 동한 난류와 북한 한류가 만나는 동해에 형성

⇒ 좋은 어장이 형성됨

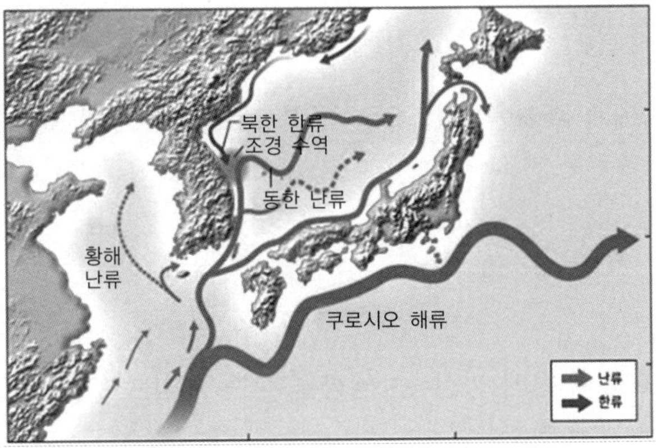

(3) **조석** : 밀물과 썰물로 해수면의 높이가 주기적으로 높아지고 낮아지는 현상

만조	밀물로 해수면의 높이가 가장 높을 때
간조	썰물로 해수면의 높이가 가장 낮을 때
조차	만조와 간조 때의 해수면의 높이 차
사리	한 달 중 조차가 가장 크게 나타나는 시기(음력 1, 15일)
조금	한 달 중 조차가 가장 작게 나타나는 시기(음력 7~8일, 22~23일)

1) **조석의 이용**

① 조차나 조류를 이용하여 전기를 생산한다.

② 갯벌에서 조개를 캐거나 조류를 이용해 물고기를 잡는다.

Exercises

01 수권의 대부분을 차지하는 것은 (　　　　)이다.

02 사람이 살아가는 데 자원으로 활용하는 물을 (　　　　)이라 한다.

03 우리나라에서 수자원은 (　　　　) 용수로 가장 많이 활용된다.

04 해수의 표층 수온에 가장 큰 영향을 주는 요인은 (　　　　)이다.

05 저위도에서 고위도로 갈수록 들어오는 태양 에너지양이 (많아 / 적어)지므로, 해수의 표층 수온은 저위도에서 고위도로 갈수록 (높아 / 낮아)진다.

06 해수의 층상 구조 중 깊이가 깊어질수록 수온이 급격하게 낮아지는 층은 (　　　　)이다.

07 해수에 녹아 있는 여러 가지 물질을 (   )라 하고, 이 중 가장 많은 양을 차지하는 것은 짠맛을 내는 (   )이다.

08 지역이나 계절에 따라 염분이 달라도, 전체 염류에서 각 염류가 차지하는 비율은 항상 일정하다는 법칙을 (   ) 법칙이라 한다.

09 (   )는 저위도 → 고위도로 흐르는 비교적 따뜻한 해류이고, (   )는 고위도 → 저위도로 흐르는 비교적 차가운 해류이다.

10 북한 한류와 동한 난류가 만나는 동해에 형성되는 좋은 어장을 (   )이라 한다.

11 하루 중 해수면의 높이가 가장 높을 때를 (   ), 가장 낮을 때를 (   )라 한다.

정답 138쪽

08 열과 우리 생활

1 열

(1) 온도와 입자 운동

1) **온도** : 물체의 차갑고 뜨거운 정도를 수치로 나타낸 것

2) **입자의 운동** : 모든 물질은 눈에 보이지 않는 작은 알갱이인 입자로 이루어져 있으며, 입자들은 끊임없이 운동한다.

3) 입자의 운동이 활발할수록 물체의 온도가 높고, 둔할수록 물체의 온도가 낮다.

⇒ 온도는 물체를 구성하는 입자의 운동이 활발한 정도를 나타낸다.

① 뜨거운 물 : 입자 운동이 활발하다. ⇒ 온도가 높다.

② 차가운 물 : 입자 운동이 둔하다. ⇒ 온도가 낮다.

(2) 열의 이동 방법

1) **전도** : 고체에서 이웃한 입자들 사이의 충돌에 의해 열이 이동하는 방법

예 뜨거운 국에 숟가락을 담가 두면 손잡이 부분까지 뜨거워진다.

2) **대류** : 액체와 기체에서 입자가 직접 이동하면서 열이 이동하는 방법

예 주전자에 든 물을 끓일 때 아래쪽만 가열해도 물이 골고루 데워진다.

3) **복사** : 열이 물질의 도움 없이 빛의 형태로 직접 이동하는 방법

예 태양의 열이 빛의 형태로 지구로 전달된다. (태양 복사 에너지)
토스터나 오븐으로 요리를 한다.

(3) **단열** : 물체와 물체 사이에서 열이 이동하지 못하게 막는 것

1) 전도, 대류, 복사에 의한 열의 이동을 모두 막아야 단열이 잘 된다.

2) 단열이 잘 될수록 물체의 온도 변화가 적게 일어난다.

3) **이용**

① 보온병을 이용하여 뜨거운 물이나 차가운 물을 보관한다.

② 집의 단열을 위해 이중창을 설치하거나 벽과 벽 사이에 스타이로폼을 넣는다.

(4) **열평형**

1) **열** : 온도가 높은 물체에서 낮은 물체로 이동하는 에너지

⇒ 열을 얻으면 입자의 운동이 활발해지고, 열을 잃으면 입자의 운동이 둔해진다.

2) **열평형** : 온도가 다른 두 물체를 접촉한 후 어느 정도 시간이 지났을 때 두 물체의 온도가 같아진 상태

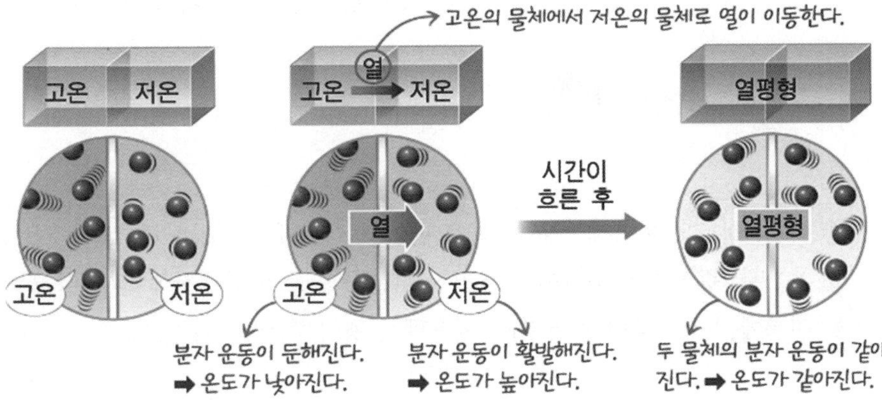

① 고온의 물체는 열을 잃어 온도가 낮아지고, 저온의 물체는 열을 얻어 온도가 높아진다.

② 열은 두 물체의 온도가 같아질 때까지 이동한다.

③ 고온의 물체가 잃은 열의 양과 저온의 물체가 얻은 열의 양은 같다.

2 비열과 열팽창

(1) **비열** : 어떤 물질 1kg의 온도를 1℃ 높이는 데 필요한 열량 (단위 : kcal/kg · ℃)

1) **특징**

① 물질의 종류에 따라 비열이 다르다.

② 비열이 큰 물질은 온도가 잘 변하지 않고, 비열이 작은 물질은 온도가 잘 변한다.

2) **이용**

① 물은 비열이 커서 외부 온도의 급격한 변화에도 사람의 체온은 유지된다.

② 뚝배기는 금속 냄비보다 비열이 커서 천천히 뜨거워지고 천천히 식는다.

(2) **열팽창** : 물질에 열을 가할 때 물질의 길이 또는 부피가 증가하는 현상

1) **열팽창이 일어나는 이유** : 물체에 열이 가해지면 물체를 구성하는 입자의 운동이 활발해져 입자 사이의 거리가 멀어지기 때문에

2) **이용**

① 바이메탈 : 열팽창 정도가 다른 두 금속을 붙여 놓은 장치

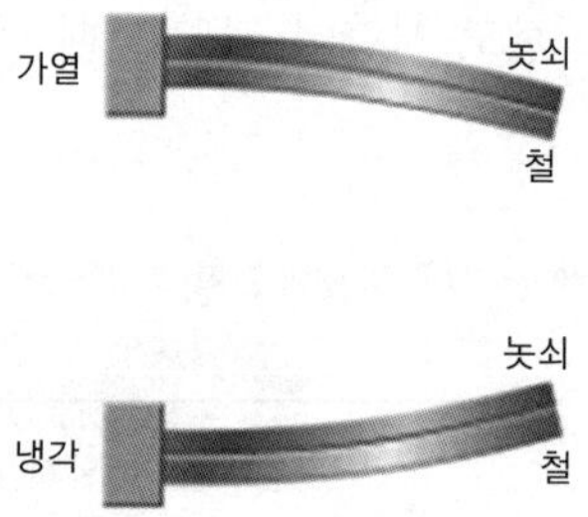

⇒ 열팽창 정도 : 놋쇠 〉 철

② 다리, 철로의 이음새 부분에 틈을 만들어 여름에 열팽창하여 휘는 것을 막는다.

③ 가스관, 송유관은 중간에 구부러진 부분을 만들어 열팽창에 의한 사고를 예방한다.

④ 여름에는 전깃줄이 늘어지고, 겨울에는 팽팽해진다.

Exercises

01 온도가 (높을수록 / 낮을수록) 입자의 운동이 활발하기 때문에, 잉크는 (차가운 물 / 뜨거운 물)에서 더 빠르게 퍼진다.

02 액체나 기체 상태의 입자가 직접 이동하면서 열이 전달되는 방법을 (　　　　)라고 한다.

03 다음과 같은 현상에서 열이 이동하는 방법을 쓰시오.

(1) 차갑게 식은 찌개를 끓여 다시 따뜻하게 데운다. ·················· (　　　)

(2) 프라이팬에 소시지를 올리고 익힌다. ································ (　　　)

(3) 토스터에 식빵을 넣고 빵을 굽는다. ································· (　　　)

04 (　　　　)은 물체와 물체 사이에서 열이 이동하지 못하게 막는 것이다.

05 두 물체의 온도가 같아져서 더 이상 열이 이동하지 않는 상태를 (　　　　)이라 한다.

06 (　　　　)은 어떤 물질 1kg의 온도를 1℃ 변화시키는 데 필요한 열량이다.

Exercises

07 같은 양의 열을 가했을 때 비열이 (큰 / 작은) 물질의 온도가 더 많이 변한다.

08 어떤 물질을 가열하면 열에 의해 물질의 길이 또는 부피가 증가하는 (   )이 일어난다.

09 열팽창은 물체에 열이 가해지면 물체를 구성하는 입자의 운동이 (   )해져서 입자 사이의 거리가 (   )지기 때문에 일어난다.

정답 139쪽

09 재해 · 재난과 안전

1 재해 · 재난

(1) **재해 · 재난** : 자연 현상이나 인간의 부주의 등으로 인명과 재산에 발생하는 피해

1) 자연 재해 · 재난의 피해 및 대처 방안

종류	피해	대처 방안
지진	· 산이 무너지거나 땅이 갈라진다. · 도로나 건물이 무너지고 화재가 발생한다.	· 땅이 불안정한 지역을 피해 건물을 짓고, 내진 설계를 한다. · 큰 가구는 미리 고정하고, 물건을 낮은 곳으로 옮긴다.
태풍	· 강한 바람으로 농작물이나 시설물에 피해를 준다. · 집중 호우를 동반하여 도로를 무너뜨리거나 산사태를 일으킨다.	· 창문을 고정하고, 배수구가 막히지 않았는지 확인한다. · 감전의 위험이 있으므로 전기 시설을 만지지 않는다.
화산	· 화산재가 사람이 사는 지역을 덮는다. · 용암이 흐르면서 마을이나 농작물에 피해를 준다.	· 화산이 폭발하면 외출을 자제하고, 화산재에 노출되지 않도록 한다. · 방진 마스크, 손전등, 예비 의약품 등 필요한 물품을 미리 준비한다.

2) 인위 재해 · 재난의 피해 및 대처 방안

종류	피해	대처 방안
화학 물질 유출	· 화학 물질이 반응하여 폭발하거나 화재가 발생한다. · 피부 접촉 시 수포가 생긴다. · 호흡 시 폐에 손상을 준다.	· 화학 물질에 직접 노출되지 않도록 주의하고, 최대한 멀리 대피한다. · 실내로 대피한 경우 창문을 닫고, 외부 공기와 통하는 에어컨, 환풍기의 작동을 멈춘다.
감염성 질병 확산	특정 지역에 그치지 않고 지구적인 규모로 확산하여 큰 피해를 줄 수 있다.	· 비누를 사용하여 손을 자주 씻고, 식재료를 깨끗이 씻는다. · 식수는 끓인 물이나 생수를 사용하고, 음식물을 충분히 익혀 먹는다.

Exercises

01 다음을 ㉠ <u>자연 재해 · 재난</u>과 ㉡ <u>인위 재해 · 재난</u>으로 구분하시오.

ㄱ. 가뭄	ㄴ. 폭발	ㄷ. 운송 수단 사고
ㄹ. 태풍	ㅁ. 홍수	ㅂ. 환경오염

㉠ (   )

㉡ (   )

02 세균, 바이러스 등의 병원체가 동물이나 인간에게 침입하여 발생하는 질병을 (   ) 질병이라고 한다.

03 지진의 피해를 줄이기 위해서는 건물을 지을 때 지진에 잘 견디도록 (   ) 설계를 해야 한다.

04 재해 · 재난의 대처 방안에 대한 설명으로 옳은 것은 ○, 옳지 않은 것은 ×로 표시하시오.

(1) 태풍이 올 때는 선박을 항구에 결박한다. …………………………………… (   )

(2) 감염성 질병을 예방하기 위해 비누를 사용하여 손을 자주 씻는다. … (   )

(3) 화학 물질이 유출되면 숨을 편하게 쉴 수 있도록 코와 입을 감싸지 않는다. ………… (   )

(4) 지진에 대비하여 큰 가구는 미리 고정하고, 물건을 낮은 곳으로 옮긴다. ………… (   )

정답 139쪽

SCIENCE

3

grade

01 화학 반응의 규칙과 에너지 변화

1 물질 변화와 화학 반응식

(1) **물리 변화** : 물질의 고유한 성질은 변하지 않으면서 모양이나 상태가 변하는 현상

1) **성질이 변하지 않는 이유** : 물질을 이루는 분자의 배열만 변할 뿐, 분자 자체는 변하지 않기 때문

2) **물리 변화의 예**

① 종이를 가위로 자른다.

② 빨래가 마른다.

③ 설탕이 물에 녹는다.

④ 꽃향기가 방안에 퍼져 나간다.

⑤ 얼음이 녹아 물이 된다.

(2) **화학 변화** : 어떤 물질이 성질이 전혀 다른 새로운 물질로 변하는 현상

1) **성질이 변하는 이유** : 물질을 이루는 원자의 배열이 달라져 분자의 종류가 변하기 때문

2) **화학 변화의 예**

① 종이를 태운다.

② 음식물이 부패한다.

③ 프라이팬 위의 달걀이 익는다.

④ 철이 녹슨다.

⑤ 김치가 시어진다.

(3) **화학 반응식**

1) **화학 반응** : 화학 변화가 일어나는 과정

⇒ 화학 반응이 일어날 때 원자의 종류와 개수는 변하지 않고, 원자의 배열이 달라져 반응 전의 물질과는 다른 새로운 물질이 생성된다.

2) **화학 반응식** : 화학식을 이용하여 화학 반응을 나타낸 식

3) **화학 반응식을 나타내는 방법** [예] 물 생성 반응

① 화살표의 왼쪽에는 반응물을, 오른쪽에는 생성물을 쓴다.

⇒ 수소 + 산소 → 물

② 반응물과 생성물을 화학식으로 나타낸다.

⇒ $H_2 + O_2 \rightarrow H_2O$

③ 화학 반응 전후에 원자의 종류와 개수가 같도록 계수를 맞춘다.(단, 1은 생략)

⇒ $2H_2 + O_2 \rightarrow 2H_2O$

4) **화학 반응식으로 알 수 있는 것** : 반응물과 생성물의 종류, 반응물과 생성물을 이루는 원자의 종류와 개수, 입자 수의 비 등

2 화학 반응의 규칙

(1) **질량 보존 법칙(1772년, 라부아지에)** : 화학 반응이 일어날 때 반응물의 총질량과 생성물의 총질량은 같다. ⇒ 화학 반응이 일어날 때 물질을 이루는 원자의 종류와 개수가 변하지 않기 때문

예 $\frac{\text{철가루}}{56g} + \frac{\text{황가루}}{32g} \rightarrow \frac{\text{황화철}}{88g}$

$\frac{\text{탄산수소 나트륨}}{168g} \rightarrow \frac{\text{탄산 나트륨}}{106g} + \frac{\text{이산화탄소}}{44g} + \frac{\text{물}}{18g}$

(2) **일정 성분비 법칙(1799년, 프루스트)** : 화합물을 구성하는 성분 원소 사이에는 일정한 질량비가 성립한다. ⇒ 화합물이 만들어질 때 원자는 항상 일정한 개수비로 결합하기 때문

예 $\frac{\text{수소}}{1} + \frac{\text{산소}}{8} \rightarrow \frac{\text{물}}{9}$

· 질량비 : 수소와 산소가 반응하여 물을 생성할 때 수소와 산소는 항상 1:8의 질량비를 결합한다.

$\frac{\text{구리}}{4} + \frac{\text{산소}}{1} \rightarrow \frac{\text{산화 구리(II)}}{5}$

· 질량비 : 구리 가루를 연소시키면 산소와 결합하여 산화 구리(Ⅱ)가 생성되는데, 이때 구리와 산소는 항상 4 : 1의 질량비로 결합한다.

(3) **기체 반응 법칙(1808년, 게이뤼삭)** : 일정한 온도와 압력에서 기체가 반응하여 새로운 기체를 생성할 때 각 기체의 부피 사이에는 간단한 정수비가 성립한다. 즉, 기체 사이의 부피비는 분자 수의 비, 화학 반응식의 계수비와 같다. ⇒ 온도와 압력이 같을 때 모든 기체는 같은 부피 속에 같은 수의 분자가 들어 있기 때문

예

암모니아 생성 반응		
	화학 반응식	$N_2 + 3H_2 \rightarrow 2NH_3$
	계수비	1 : 3 : 2
	부피비	1 : 3 : 2
	분자 수비	1 : 3 : 2

3 화학 반응에서의 에너지 출입

(1) **발열 반응** : 화학 반응이 일어날 때 에너지를 방출하는 반응

⇒ 주변으로 에너지를 방출하기 때문에 주변의 온도가 높아진다.

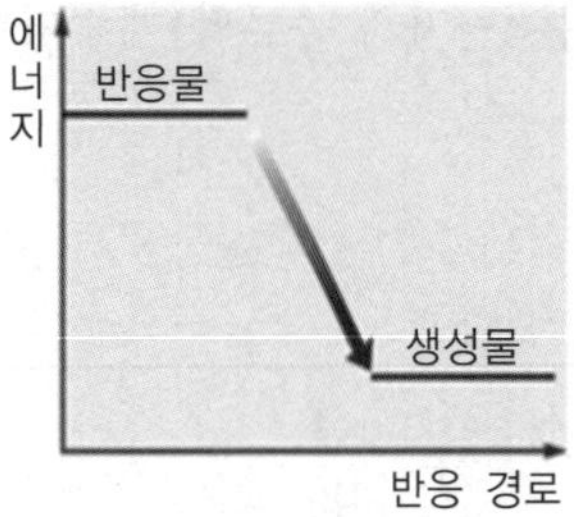

예 연소 반응(연소할 때 열에너지와 빛에너지를 방출), 호흡(포도당과 산소가 반응할 때 방출된 에너지는 생명활동에 쓰임), 금속이 녹스는 반응(금속이 공기 중의 산소와 반응할 때 열에너지를 방출) 등

(2) **흡열 반응** : 화학 반응이 일어날 때 에너지를 흡수하는 반응

⇒ 주변에서 에너지를 흡수하므로 주변의 온도가 낮아진다.

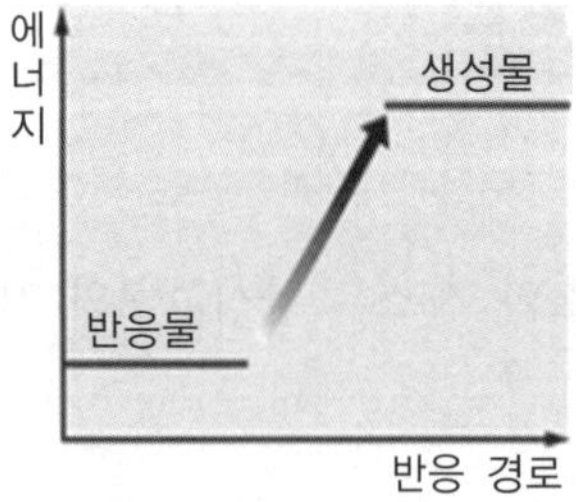

예 광합성(식물이 광합성을 할 때 빛에너지를 흡수), 베이킹 파우더의 열분해(열에너지를 흡수하여 이산화탄소 발생), 물의 전기 분해(물이 전기 에너지를 흡수하여 수소와 산소로 분해) 등

(3) **화학 반응에서 출입하는 에너지의 활용**

1) **난방 및 음식 조리** : 연료가 연소할 때 방출하는 에너지를 이용하여 난방과 음식에 이용한다.

2) **손난로** : 철 가루와 산소가 반응할 때 방출하는 에너지로 손을 따뜻하게 한다.

3) **염화 칼슘 제설제** : 염화 칼슘과 물이 반응할 때 방출하는 에너지로 눈을 녹인다.

Exercises

01 다음 중 물리 변화가 일어나는 현상을 모두 고르시오.

ㄱ. 종이를 태운다.
ㄴ. 물이 끓어 수증기가 된다.
ㄷ. 용광로에서 철이 녹는다.
ㄹ. 프라이팬 위의 달걀이 익는다.
ㅁ. 꽃향기가 방안에 퍼져 나간다.
ㅂ. 김치가 시어진다.

(　　　　　　　　　　　)

02 다음 화학 반응식을 완성하시오.

(1) (　　)H_2 + O_2 → (　　)H_2O

(2) N_2 + (　　)H_2 → (　　)NH_3

03 화학 반응이 일어날 때 반응물의 총질량과 생성물의 총질량은 같다는 법칙을 (　　　　　) 법칙이라 한다.

04 일정 성분비 법칙은 화합물을 구성하는 성분 원소 사이에는 일정한 (　　　　) 가 성립한다는 법칙이다.

05 기체 반응 법칙에서, 화학 반응식에서의 계수비는 기체 사이의 (　　　　)비, 그리고 (　　　　)비와 같다.

06 화학 반응이 일어날 때 에너지를 방출하는 반응을 (　　　　) 반응, 에너지를 흡수하는 반응을 (　　　　) 반응이라 한다.

07 연소 반응, 호흡, 금속이 녹스는 반응 등은 (　　　　) 반응의 예에 해당한다.

정답 139쪽

02 기권과 날씨

1 기권과 지구 기온

(1) 기권의 층상 구조 : 높이에 따른 기온 변화를 기준으로 지표에서부터 4개 층으로 구분한다.

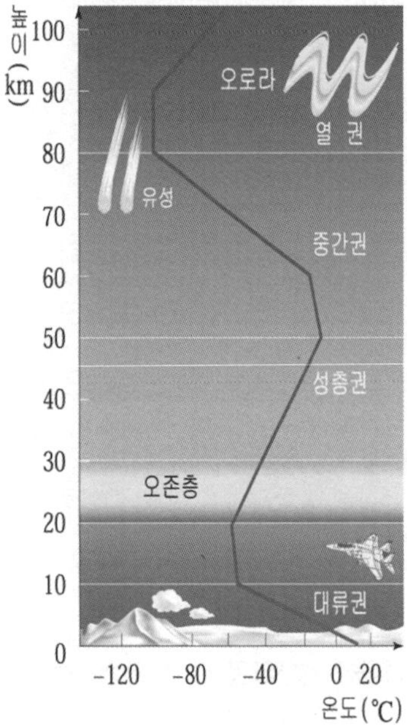

열권	· 높이 올라갈수록 기온이 높아진다. · 공기가 매우 희박하고, 밤낮의 기온 차가 크다. · 오로라가 나타난다.
중간권	· 높이 올라갈수록 기온이 낮아진다. · 대류가 있지만 수증기가 없어 기상현상은 나타나지 않는다. · 상부에서 유성이 관측되기도 한다.
성층권	· 높이 올라갈수록 기온이 높아진다. · 오존층이 존재하여 자외선을 흡수한다. · 대류가 일어나지 않아 비행기의 항로로 이용된다.
대류권	· 높이 올라갈수록 기온이 낮아진다. · 공기의 대부분이 대류권에 모여 있다. · 공기의 대류로 인해 구름, 비, 눈 등의 기상현상이 나타난다.

(2) 지구의 복사 평형과 온실 효과

1) **지구의 복사 평형** : 지구는 태양 복사 에너지를 흡수한 양만큼 지구 복사 에너지를 방출하여 복사 평형을 이루고 있다. ⇒ 지구의 평균 기온이 거의 일정하게 유지된다.

2) **온실 효과** : 지표에서 방출하는 지구 복사 에너지의 일부를 대기가 흡수했다가 지표로 방출하여 지구의 평균 기온이 높게 유지되는 현상

(3) 지구 온난화 : 대기 중으로 방출되는 온실 기체의 양이 증가하면서 온실 효과가 강화되어 지구의 평균 기온이 높아지는 현상

1) **가장 큰 영향을 미치는 온실 기체** : 이산화탄소(CO_2)

2) **영향** : 빙하 융해, 해수면 상승, 육지 면적 감소, 사막 증가, 기상이변 발생, 생태계 변화 등

3) **대책** : 화석 연료 사용 억제, 신 · 재생 에너지 개발, 에너지 절약, 삼림 면적 확대 등

2 구름과 강수

(1) 물의 증발과 포화 수증기량

1) **증발** : 물의 표면에서 물이 수증기로 변하는 현상

2) **포화 상태** : 어떤 공기가 수증기를 최대로 포함하고 있는 상태

3) **포화 수증기량** : 포화 상태의 공기 1kg에 들어 있는 수증기량(g)

⇒ 기온이 높을수록 포화 수증기량이 많아진다.

(2) 응결과 이슬점

1) **응결** : 공기 중의 수증기가 물방울로 변하는 현상

2) **이슬점** : 공기 중의 수증기가 응결하기 시작할 때의 온도

⇒ 실제 수증기량이 많을수록 높아진다.

3) **이슬점 찾기** : A의 이슬점은? ⇒ 불포화 상태의 A가 냉각되어 포화 상태가 될 때의 온도(이슬점)는 10℃이다.

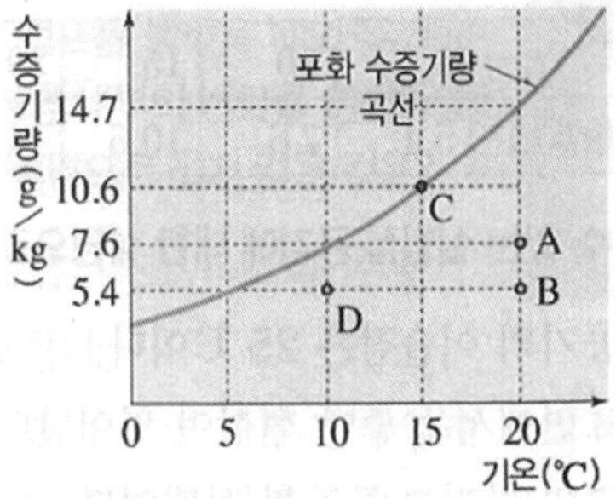

(3) 상대 습도 : 공기의 건조하고 습한 정도

$$\text{상대 습도(\%)} = \frac{\text{현재 공기 중의 실제 수증기량}}{\text{현재 기온의 포화 수증기량}} \times 100$$

⇒ 포화 수증기량 곡선 상에 있는 모든 공기의 상대 습도는 100%이다.

⇒ 수증기량이 많을수록, 기온이 낮을수록 상대 습도가 높다.

(4) 구름의 생성과 분류

1) **구름** : 공기 중의 수증기가 응결하여 생긴 물방울이나 얼음 알갱이(빙정)가 하늘에 떠 있는 것

2) **생성 과정** : 공기 덩어리 상승 → 단열 팽창(부피 팽창) → 기온 하강 → 이슬점 도달 → 수증기 응결 → 구름 생성

① 공기 덩어리가 상승하면, 주변 공기의 압력이 낮아지므로 공기 덩어리가 팽창한다.

② 상승하는 공기 덩어리는 단열 팽창하면서 주변의 공기를 밀어내는 데 열을 소모하여 기온이 낮아진다.

③ 공기 덩어리의 온도가 이슬점과 같아지면 수증기가 응결하기 시작한다.

④ 수증기가 응결하여 생긴 작은 물방울이나 얼음 알갱이가 모여 구름이 된다.

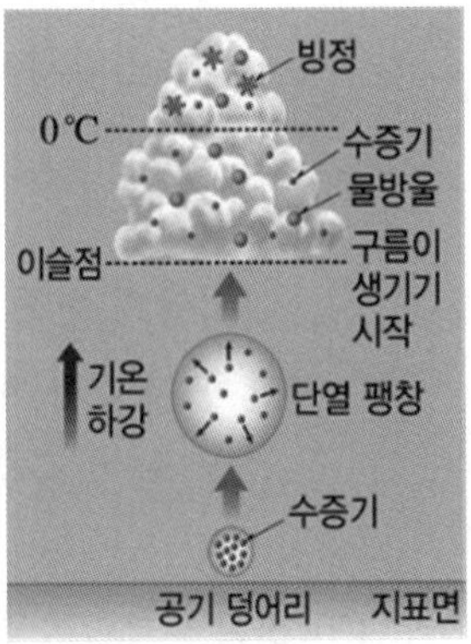

3) **구름이 생성되는 경우** : 공기가 상승하는 경우에 구름이 생성된다.

① 지표면의 일부분이 강하게 가열될 때

② 이동하는 공기가 산을 타고 오를 때

③ 따뜻한 공기와 찬 공기가 만날 때

④ 기압이 낮은 곳으로 공기가 모여들 때

4) **분류**

① 적운형 구름 : 위로 솟는 모양, 공기가 강하게 상승할 때 생성

② 층운형 구름 : 옆으로 퍼지는 모양, 공기가 약하게 상승할 때 생성

(5) **강수** : 구름에서 지표로 떨어지는 비나 눈

⇒ 구름 입자가 빗방울로 성장해야 비나 눈이 내린다.

⇒ 약 100만 개 이상의 구름 입자가 모여 1개의 빗방울이 된다.

병합설	빙정설
· 저위도 지방(열대 지방) · 구름 속의 크고 작은 물방울들이 서로 충돌하여 합쳐지면 따뜻한 비가 된다.	· 중위도 · 고위도 지방(온대 · 한대 지방) · 구름 속의 얼음 알갱이에 수증기가 달라붙어 커지면 눈이 되고, 내리다가 녹으면 차가운 비가 된다.

3 기압과 바람

(1) **기압(대기압)** : 공기가 단위 넓이에 작용하는 힘

1) **방향** : 모든 방향으로 동일하게 작용한다.

2) **측정** : 토리첼리가 수은을 이용하여 기압의 크기를 최초로 측정하였다.

3) **단위와 크기**

① 단위 : hPa(헥토파스칼), 기압, cmHg

② 1기압의 크기 : 수은 기둥의 높이 76cm에 해당하는 공기의 압력

> 1기압 = 76cmHg = 1013hPa = 약 10m 물기둥의 압력

4) **기압의 변화**

① 공기가 계속 움직이기 때문에 측정 장소와 시간에 따라 기압이 달라진다.

② 높이 올라갈수록 공기의 양이 감소하므로 기압이 낮아진다.

(2) **바람** : 기압이 높은 곳에서 낮은 곳으로 수평 방향으로 이동하는 공기의 흐름

1) **바람이 부는 원인** : 두 지점의 기압 차이

⇒ 두 지점의 기압 차이가 클수록 풍속(바람의 세기)이 빨라진다.

2) **해륙풍과 계절풍** : 육지는 바다보다 빨리 가열되고 빨리 냉각되기 때문에 육지와 바다 사이에 기압 차이가 발생하여 바람이 분다.

① 해륙풍 : 해안에서 하루를 주기로 풍향이 바뀌는 바람

구분	해풍	육풍

부는 때	낮	밤
기온	육지 〉 바다	육지 〈 바다
기압	육지 〈 바다	육지 〉 바다
바람 방향	바다 → 육지	육지 → 바다
원리	낮에는 육지가 바다보다 빨리 가열되어 육지의 기압이 상대적으로 낮아지기 때문에 **바다에서 육지로** 바람이 분다.	밤에는 육지가 바다보다 빨리 냉각되어 육지의 기압이 상대적으로 높아지기 때문에 **육지에서 바다로** 바람이 분다.

② 계절풍 : 대륙과 해양 사이에서 1년을 주기로 풍향이 바뀌는 바람

구분	남동 계절풍(우리나라)	북서 계절풍(우리나라)
	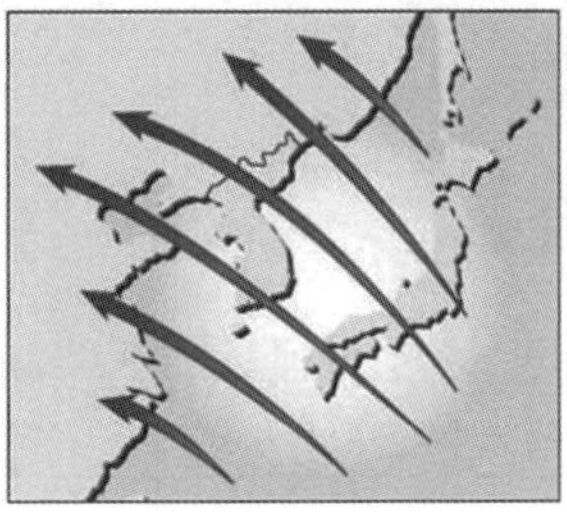	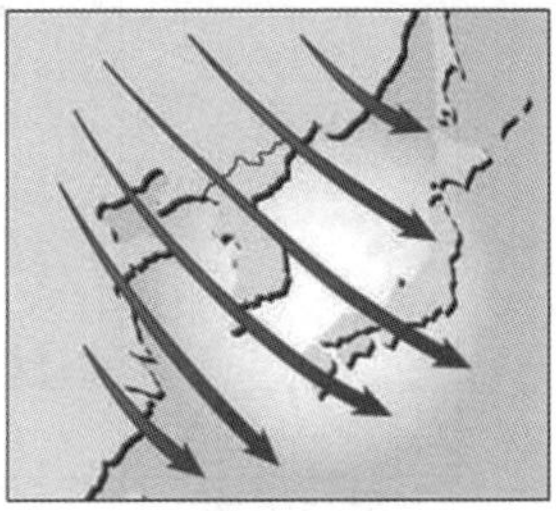
부는 때	여름	겨울
기온	대륙 〉 해양	대륙 〈 해양
기압	대륙 〈 해양	대륙 〉 해양
바람 방향	해양 → 대륙	대륙 → 해양
원리	여름에는 대륙이 해양보다 빨리 가열되어 대륙의 기압이 상대적으로 낮아지기 때문에 **해양에서 대륙으로** 바람이 분다.	겨울에는 대륙이 해양보다 빨리 냉각되어 대륙의 기압이 상대적으로 높아지기 때문에 **대륙에서 해양으로** 바람이 분다.

4 날씨의 변화

(1) 기단과 날씨

1) **기단** : 성질이 비슷한 큰 공기 덩어리

2) **우리나라 주변의 기단**

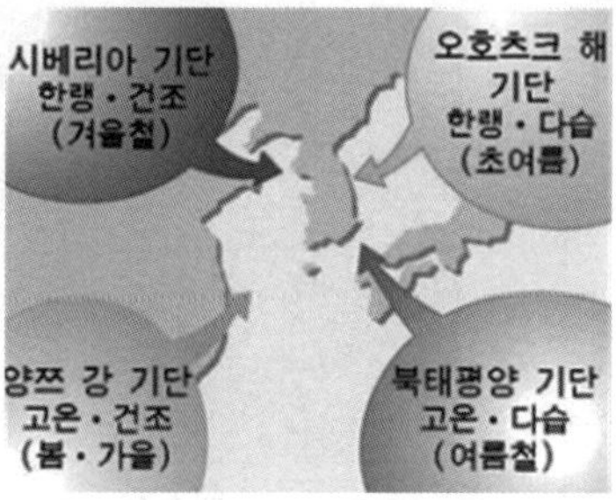

기단	성질	계절
시베리아 기단	한랭건조	겨울
오호츠크해 기단	한랭다습	초여름
양쯔강 기단	고온건조	봄, 가을
북태평양 기단	고온다습	여름

(2) 전선과 날씨

1) **전선면** : 성질이 다른 두 기단이 만나서 생긴 경계면

2) **전선** : 전선면이 지표면과 만나는 경계선

⇒ 전선을 경계로 기온, 습도, 바람 등이 크게 달라져 날씨 변화가 심하다.

3) **한랭 전선과 온난 전선**

<table>
<tr><th>구분</th><th>한랭 전선</th><th>온난 전선</th></tr>
<tr><td>모습</td><td>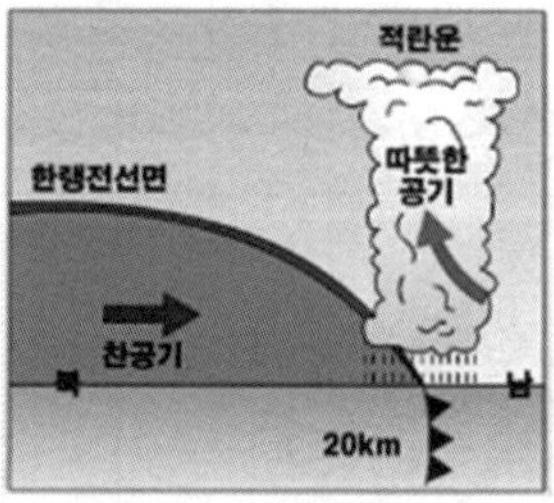

찬 공기가 따뜻한 공기 아래를 파고들 때 생기는 전선</td><td>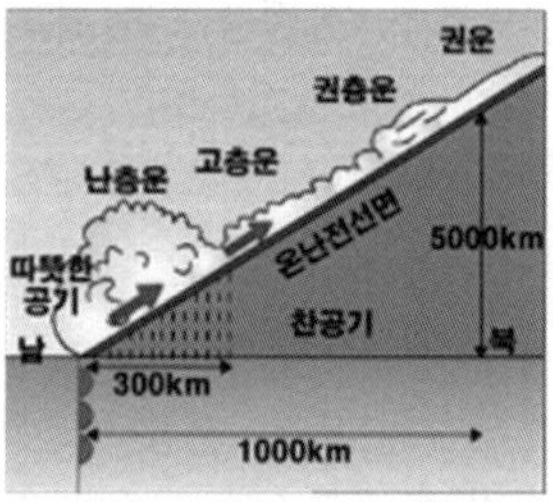

따뜻한 공기가 찬 공기를 타고 오를 때 생기는 전선</td></tr>
<tr><td>전선면의 기울기</td><td>급하다</td><td>완만하다</td></tr>
<tr><td>구름의 종류</td><td>적운형</td><td>층운형</td></tr>
<tr><td>강수</td><td>좁은 지역에 소나기</td><td>넓은 지역에 약한 비</td></tr>
<tr><td>이동 속도</td><td>빠르다</td><td>느리다</td></tr>
<tr><td>전선 통과 후</td><td>기온 하강</td><td>기온 상승</td></tr>
</table>

(3) 기압과 날씨

구분	고기압	저기압
모습	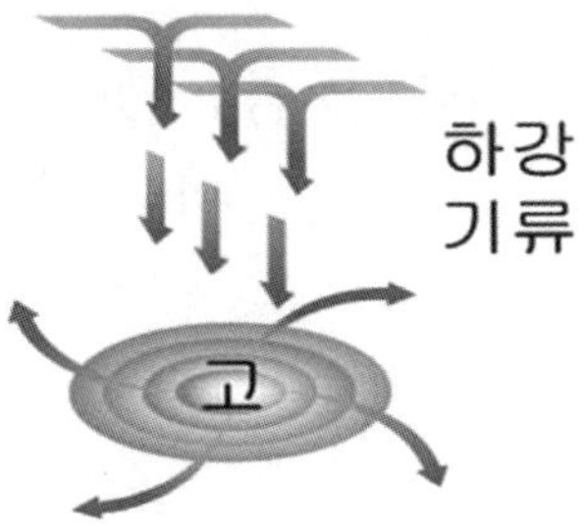	
정의	주위보다 기압이 높은 곳	주위보다 기압이 낮은 곳
바람(북반구)	시계 방향으로 불어 나감	반시계 방향으로 불어 들어감
기류	하강기류	상승기류
날씨	구름 소멸 → 날씨 맑음	구름 생성 → 날씨 흐림

Exercises

01 대기권 중 오존층이 존재하여 자외선을 흡수하고, 대류가 일어나지 않아 비행기의 항로로 이용되는 곳은 (   )이다.

02 지구는 태양 복사 에너지를 흡수한 양만큼 지구 복사 에너지를 방출하여 지구 복사 (   )을 이루고 있다.

03 온실 효과가 강화되어 지구의 평균 기온이 높아지는 현상을 (   )라고 한다. 지구 온난화에 가장 큰 영향을 미치는 온실 기체는 (수증기 / 이산화탄소) 이다.

04 공기 중의 수증기가 응결하기 시작할 때의 온도를 (녹는점 / 어는점 / 이슬점)이라 하며, 이 온도는 현재 공기 중의 수증기량이 많을수록 (높 / 낮)아진다.

05 수증기량이 많을수록, 기온이 낮을수록 상대 습도가 (높다 / 낮다).

06 다음은 구름이 생성되는 과정을 나타낸 것이다. (   ) 안에 알맞은 말을 쓰시오.

> 공기 덩어리 상승 → 부피 (   ) → 기온 하강 → 이슬점 도달 →
> (   ) → 구름 생성

07 높이 올라갈수록 공기의 양이 감소하므로 기압이 (높 / 낮)아진다.

08 바람에 대한 설명으로 옳은 것은 O, 옳지 않은 것은 X로 표시하시오.

(1) 바람은 기압이 낮은 곳에서 높은 곳으로 분다. ………………………… (   )

(2) 두 지점의 기압 차이가 클수록 풍속이 빨라진다. …………………… (   )

09 우리나라의 여름철에는 (대륙 / 해양)의 온도가 더 높아서 바람이 (대륙에서 해양으로 / 해양에서 대륙으로) 분다.

10 (   ) 기단은 우리나라 겨울철 날씨에 영향을 주며, 한랭 건조한 성질을 띤다.

11 (   ) 중심에는 하강기류가 있고, (   ) 중심에는 상승기류가 있다.

정답 139쪽

03 운동과 에너지

1 운동

(1) 운동의 기록

1) **운동** : 시간에 따라 물체의 위치가 변하는 현상

① 같은 거리를 이동할 때, 걸린 시간이 짧을수록 더 빠르다.

② 같은 시간 동안 이동할 때, 이동한 거리가 길수록 더 빠르다.

2) **다중 섬광 사진** : 일정한 시간 간격으로 운동하는 물체를 촬영한 사진

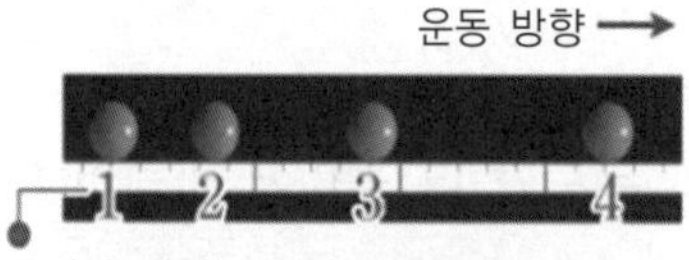

물체 사이의 간격이 넓어지므로 물체의 속력이 점점 증가한다.

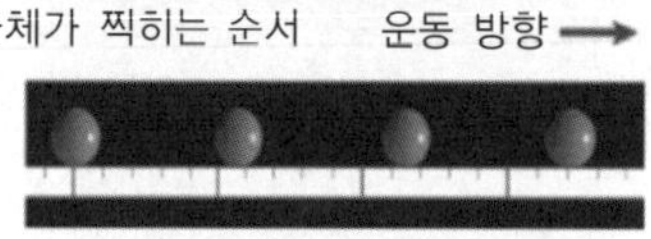

물체 사이의 간격이 일정하므로 물체의 속력이 일정하다.

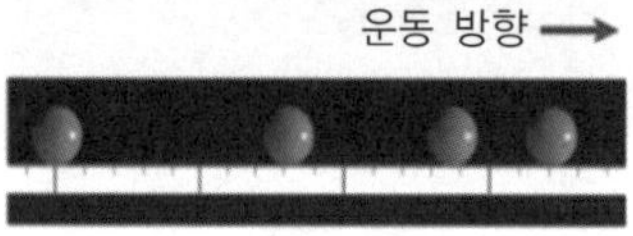

물체 사이의 간격이 좁아지므로 물체의 속력이 점점 감소한다.

3) **속력** : 일정한 시간 동안 물체가 이동한 거리

$$\text{속력}(m/s) = \frac{\text{이동 거리}(m)}{\text{걸린 시간}(s)}$$

4) **평균 속력** : 물체의 속력이 일정하지 않을 때, 물체가 이동한 전체 거리를 걸린 시간으로 나누어 구한 속력

(2) 등속 운동 : 시간에 따라 속력이 일정한 운동

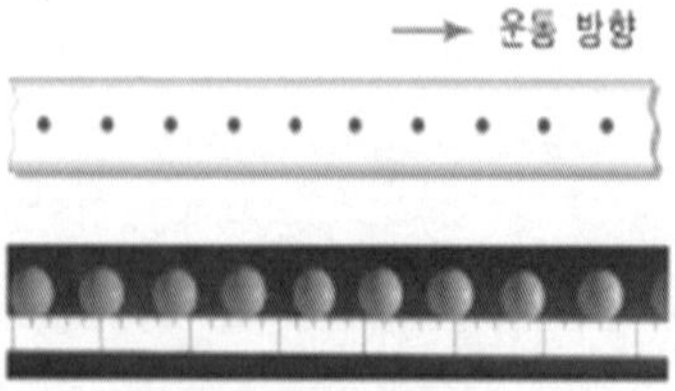

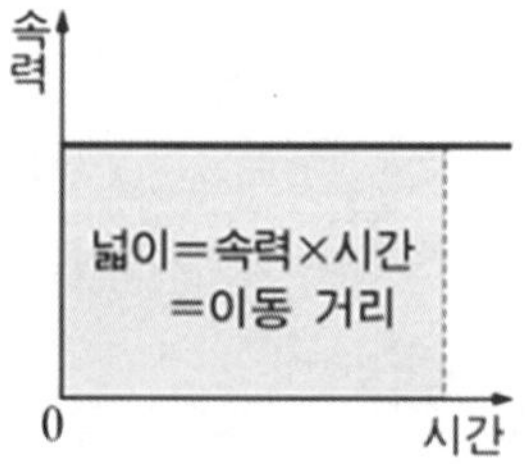

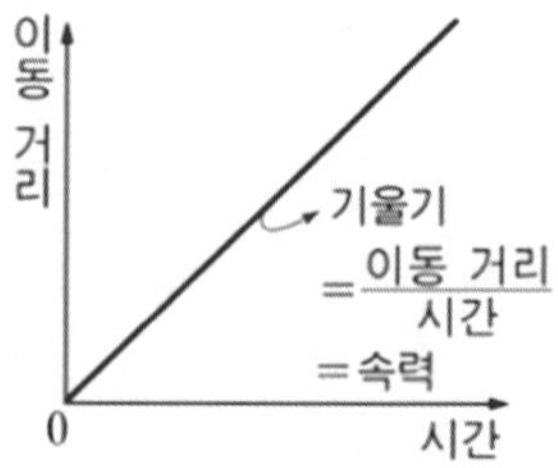

예 에스컬레이터, 스키 리프트, 무빙워크, 컨베이어 등

(3) **자유 낙하 운동** : 공기 저항이 없을 때, 정지해 있던 물체가 중력만 받으면서 아래로 떨어지는 운동

1) 지구의 지표면 근처에서 자유 낙하하는 물체의 속력은 1초에 9.8m/s씩 증가한다.

2) 자유 낙하하는 물체의 다중 섬광 사진에서는 물체 사이의 간격이 점점 증가한다.

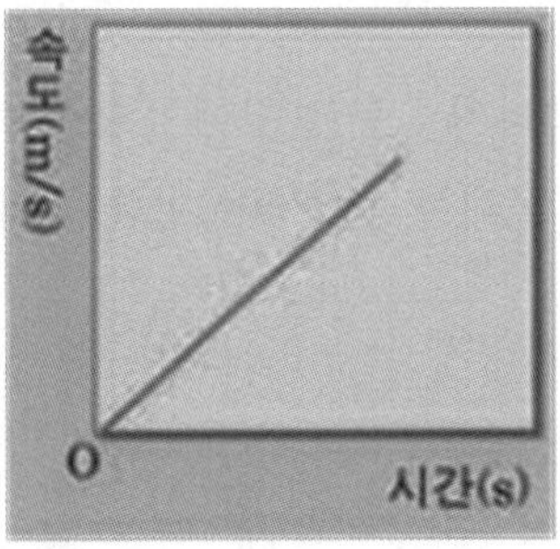

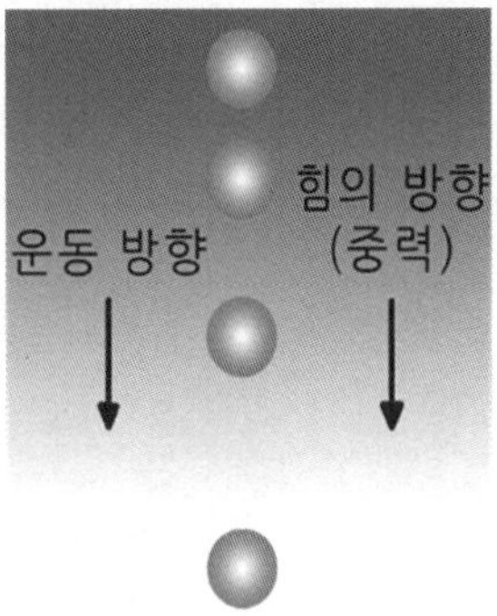

3) **질량이 다른 물체의 자유 낙하 운동**

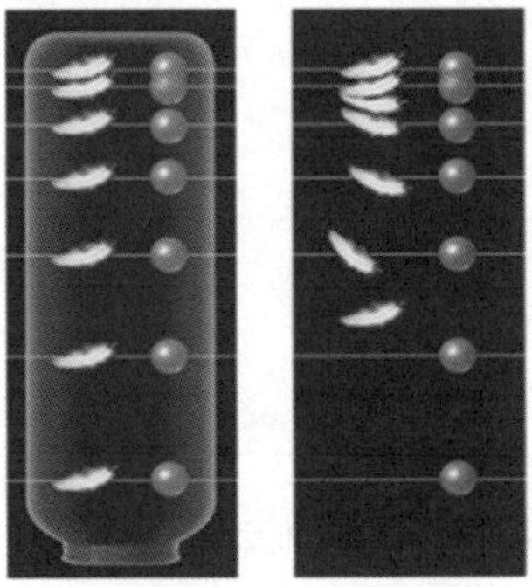
진공　　공기 중

① 진공 상태일 때 : 질량이 다른 두 물체를 같은 높이에서 동시에 떨어뜨리면 동시에 바닥에 도착한다.

② 공기 저항이 있을 때 : 물체의 크기와 모양에 따라 공기 저항이 다르게 작용하므로 같은 높이에서 동시에 떨어뜨려도 동시에 바닥에 도착하지 않는다.

2 일과 에너지

(1) **과학에서의 일** : 물체에 힘이 작용하여 물체가 힘의 방향으로 이동하는 경우

1) **일의 양(W)** : 물체에 작용한 힘의 크기(F)와 물체가 힘의 방향으로 이동한 거리(s)의 곱으로 구한다. [예] 물체를 밀 때, 물체를 들어올릴 때

$$\text{일}(W) = \text{힘}(F) \times \text{이동 거리}(s)$$

① 단위 : J(줄)

② $1J$: 물체에 $1N$의 힘을 작용하여 물체가 힘의 방향으로 1m 이동했을 때 한 일의 양

2) **일의 양이 0인 경우**

① 작용하는 힘이 0일 때 [예] 얼음 위에서 스케이트를 타고 등속 운동할 때

② 이동한 거리가 0일 때

[예] 벽을 힘껏 밀었는데 움직이지 않거나, 물체를 든 상태로 가만히 서 있을 때

③ 힘의 방향과 이동 방향이 수직일 때 [예] 가방을 들고 수평 방향으로 걸어갈 때

(2) 중력과 일의 양

1) 물체를 들어 올릴 때는 중력에 대해 일을 한 것이고, 물체가 떨어질 때는 중력이 물체에 일을 한 것이다.

2) **중력에 의한 위치 에너지** : 높은 곳에 있는 물체가 가지는 에너지

① 질량이 m(kg)인 물체를 높이 h(m)만큼 들어 올릴 때 중력에 대해 한 일의 양과 같다.

$$\text{위치 에너지} = 9.8 \times \text{질량} \times \text{높이},\ E = 9.8mh$$

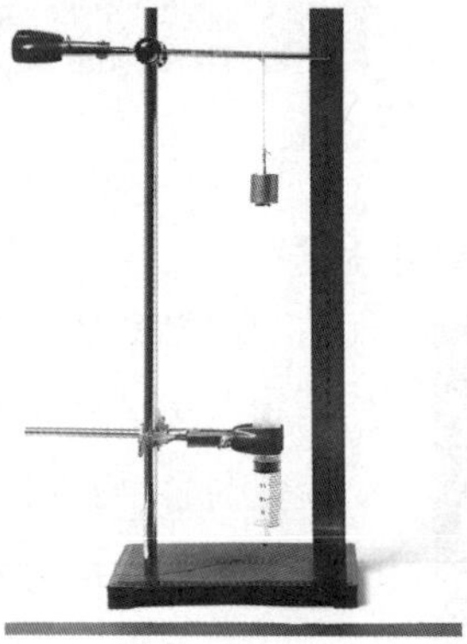

3) **운동 에너지** : 운동하는 물체가 가지는 에너지

① 질량이 m(kg)인 물체가 속력 v(m/s)로 운동할 때, 물체는 다음과 같은 운동 에너지를 갖는다.

$$\text{운동 에너지} = \frac{1}{2} \times \text{질량} \times (\text{속력})^2,\ E = \frac{1}{2}mv^2$$

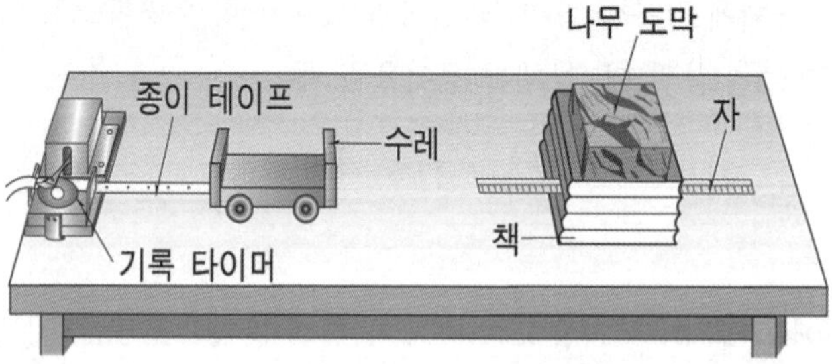

Exercises

단원문제 3

01 그림은 두 물체 A, B의 운동을 나타낸 다중 섬광 사진이다. 두 물체 A, B는 각각 속력이 증가, 일정, 감소 중 어떠한 운동을 하는지 쓰시오.

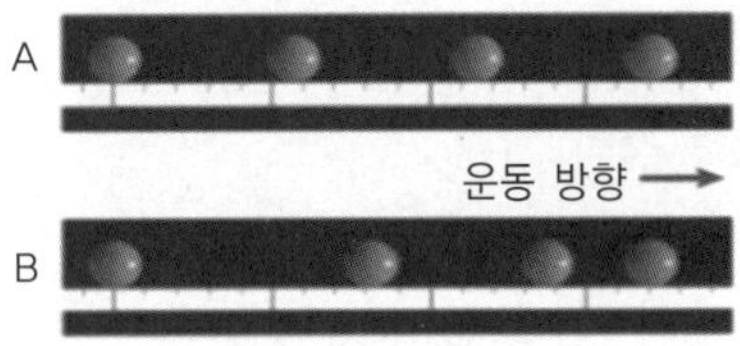

02 다음 중 등속 운동을 하는 물체를 〈보기〉에서 모두 고르시오.

〈보기〉

ㄱ. 무빙워크　ㄴ. 낙하하는 공　ㄷ. 에스컬레이터　ㄹ. 롤러코스터

03 진공 상태에서, 쇠구슬과 깃털을 같은 높이에서 동시에 떨어뜨리면 동시에 바닥에 (도착한다 / 도착하지 않는다).

04 일의 양(W) = (　　) × (　　　　)

05 과학에서의 일의 양이 0인 경우는 물체에 작용한 힘이나 물체가 이동한 거리가 (　　　)이거나, 물체에 작용한 힘의 방향과 물체가 이동한 방향이 (　　　)인 경우이다.

06 질량이 1kg인 물체가 지면으로부터 3m 높이에 있을 때, 이 물체가 가지는 중력에 의한 위치 에너지는 몇 J인지 구하시오.

07 질량이 2kg인 물체가 4m/s의 속력으로 운동할 때, 이 물체가 가지는 운동 에너지는 몇 J인지 구하시오.

정답 139쪽

04 자극과 반응

1 감각 기관

(1) 눈(시각)

1) 눈의 구조와 기능

① 홍채 : 동공의 크기를 조절하여 눈으로 들어오는 빛의 양을 조절

② 수정체 : 빛을 굴절시켜 망막에 상이 맺히게 함

③ 망막 : 시각 세포 분포, 상이 맺힘

④ 섬모체 : 수정체의 두께를 조절

⑤ 맥락막 : 검은색 색소가 눈 속을 어둡게 함

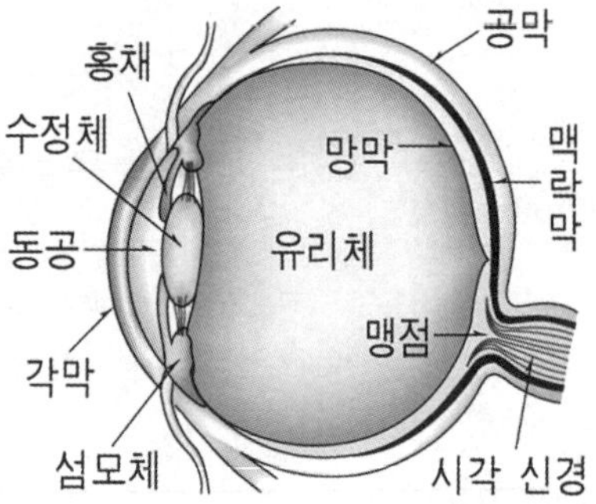

2) 시각 성립 경로

: 빛 → 각막 → 수정체 → 유리체 → 망막의 시각 세포 → 시각 신경 → 뇌

3) 눈의 조절 작용

동공 크기 조절	밝을 때	홍채 이완 ⇒ 동공 축소
	어두울 때	홍채 수축 ⇒ 동공 확대
수정체 두께 조절	먼 곳을 볼 때	섬모체 이완 ⇒ 수정체 얇아짐
	가까운 곳을 볼 때	섬모체 수축 ⇒ 수정체 두꺼워짐

(2) 귀(청각, 평형 감각)

1) 귀의 구조와 기능

① 고막 : 소리에 의해 진동하는 얇은 막

② 귓속뼈 : 고막의 진동을 증폭함

③ 달팽이관 : 청각 세포가 있음

④ 반고리관 : 몸의 회전 감지

⑤ 전정 기관 : 몸의 기울어짐 감지

⑥ 귀인두관 : 고막 안쪽과 바깥쪽의 압력을 같게 조절

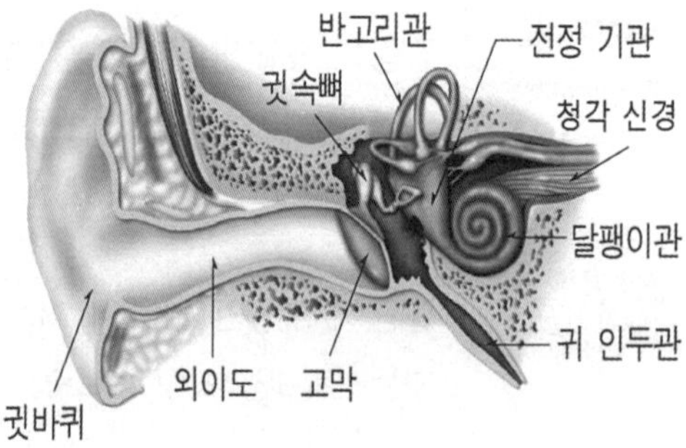

2) **청각의 성립 경로**

: 소리 → 귓바퀴 → 외이도 → 고막 → 귓속뼈 → 달팽이관의 청각 세포 → 청각 신경 → 뇌

3) **평형 감각** : 반고리관과 전정 기관에서 받아들인 자극이 평형 감각 신경을 통해 뇌로 전달되면 몸의 회전과 기울기 등을 감지하여 몸의 균형을 유지할 수 있다.

① 반고리관의 작용

예 회전하는 놀이 기구를 탔을 때 몸이 회전하는 것을 느낀다.
눈을 감고 있어도 몸이 회전하는 방향을 느낄 수 있다.

② 전정 기관의 작용

예 돌부리에 걸려 넘어질 때 몸이 기울어지는 것을 느낀다.
승강기를 탔을 때 몸이 움직이는 것을 느낀다.

(3) 코(후각), 혀(미각)

후각	미각
가장 예민한 감각이지만, 쉽게 피로해진다. ⇒ 후각 세포는 쉽게 피로해지기 때문에 같은 냄새를 계속 맡으면 나중에는 잘 느끼지 못한다.	혀로 느끼는 기본적인 맛 : 단맛, 신맛, 짠맛, 쓴맛, 감칠맛 ⇒ 다양한 음식 맛은 미각과 후각을 종합하여 느낀다.
[성립 경로] 기체 상태의 화학 물질 → 후각 상피의 후각 세포 → 후각 신경 → 뇌	[성립 경로] 액체 상태의 화학 물질 → 맛봉오리의 맛세포 → 미각 신경 → 뇌

(4) 피부(피부 감각)

1) **감각점** : 피부에서 자극을 받아들이는 부위 예 통점, 압점, 촉점, 냉점, 온점

2) **감각점 분포** : 일반적으로 통점이 가장 많이 분포한다.(통증에 가장 예민)

2 신경계

(1) 뉴런 : 신경계를 이루고 있는 신경 세포

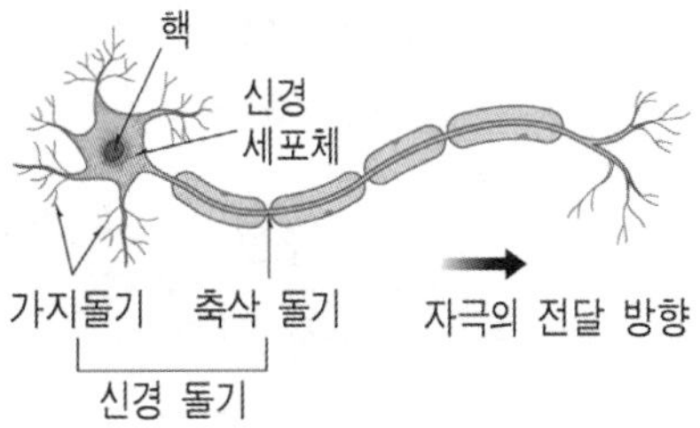

1) **뉴런의 구조**

① 가지 돌기 : 다른 뉴런이나 감각 기관에서 전달된 자극을 받아들임

② 신경 세포체 : 핵과 세포질이 있어 여러 가지 생명 활동이 일어남

③ 축삭 돌기 : 다른 뉴런이나 기관으로 자극을 전달함

2) **뉴런의 종류**

① 감각 뉴런 : 감각 기관에서 받아들인 자극을 연합 뉴런으로 전달

② 연합 뉴런 : 뇌와 척수를 이루는 뉴런, 감각 뉴런과 운동 뉴런을 연결

③ 운동 뉴런 : 연합 뉴런의 명령을 반응 기관으로 전달

3) **자극의 전달** : 감각 뉴런 → 연합 뉴런 → 운동 뉴런 순으로 일어난다.

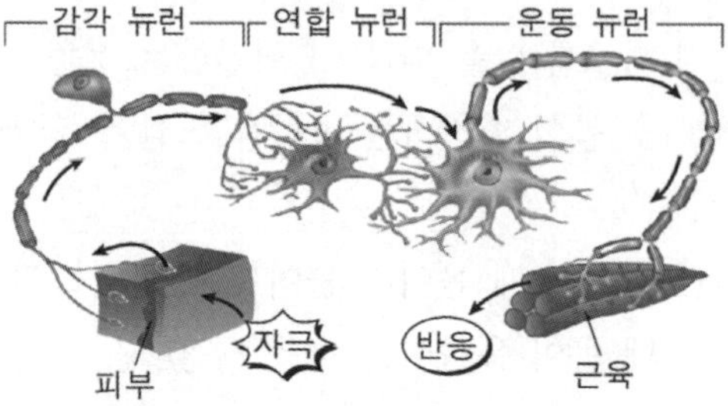

자극의 전달 경로

(2) 신경계

1) **중추 신경계** : 뇌와 척수로 이루어져 있으며, 자극을 느끼고 판단하여 적절한 명령을 내린다.

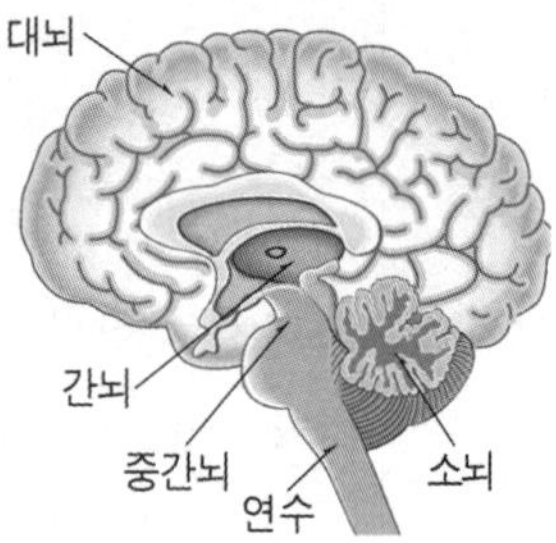

① 뇌

- 대뇌 : 고등 정신 활동 담당
- 소뇌 : 몸의 균형 유지
- 간뇌 : 체온 유지
- 중간뇌 : 눈의 움직임, 동공과 홍채 조절
- 연수 : 심장 박동, 호흡 운동, 소화 운동 조절

② 척수 : 자신의 의지와 관계없이 일어나는 반응의 중추(위험 반사, 무조건 반사 등)

2) **말초 신경계** : 중추 신경으로부터 뻗어 나와 온몸에 분포하는 신경계

① 자율 신경 : 교감 신경과 부교감 신경으로 구분되며, 내장 기관에 연결되어 대뇌의 직접적인 명령 없이 내장 기관의 운동을 조절한다.

· 교감 신경과 부교감 신경은 같은 내장 기관에 분포하여 서로 반대 작용을 한다.

· 교감 신경은 긴장하거나 위기 상황에 처했을 때 우리 몸을 대처하기에 알맞은 상태로 만들고, 부교감 신경은 이를 원래의 안정된 상태로 되돌린다.

구분	동공 크기	심장 박동	호흡 운동	소화 운동
교감 신경	확대	촉진	촉진	억제
부교감 신경	축소	억제	억제	촉진

(3) 자극에 따른 반응의 경로

1) **의식적 반응** : 대뇌의 판단 과정을 거쳐 자신의 의지에 따라 일어나는 반응

예 주전자를 들고 컵에 원하는 만큼 물을 따르는 반응

2) **무조건 반사** : 대뇌의 판단 과정을 거치지 않아 자신의 의지와 관계없이 일어나는 반응 ⇒ 반응이 매우 빠르게 일어나므로 위험한 상황에서 몸을 보호하는 데 중요한 역할을 한다.

예 뜨거운 주전자에 손이 닿았을 때 급히 손을 떼는 반응

3 호르몬과 항상성

(1) 호르몬 : 특정 세포나 기관으로 신호를 전달하여 몸의 기능을 조절하는 물질

1) **특징**

① 내분비샘에서 생성되어 혈액을 통해 운반된다.

② 특정 세포나 기관에 작용한다. ⇒ 표적 세포(기관)가 있다.

③ 적은 양으로 큰 효과를 나타낸다. ⇒ 결핍증과 과다증이 있다.

④ 척추동물 사이에서는 종 특이성이 없다.

2) **내분비샘과 호르몬**

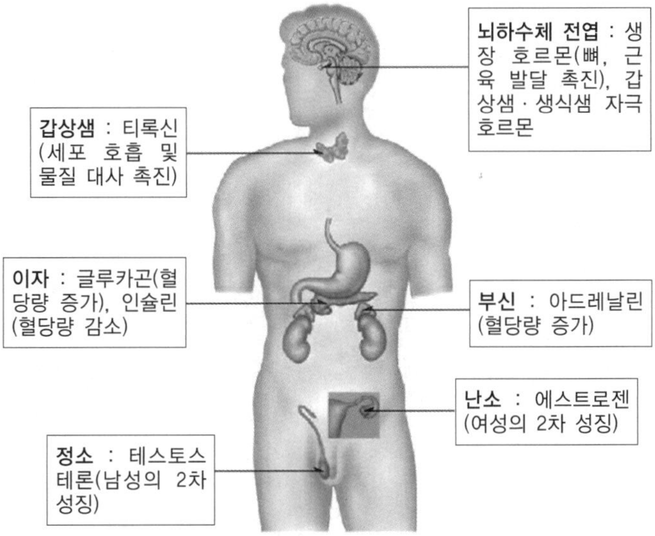

(2) 항상성 : 몸 안팎의 환경이 변해도 몸의 상태를 일정하게 유지하는 성질

예 체온 유지, 혈당량 유지, 몸속 수분량 유지

1) **체온 조절 과정** : 주위의 온도 변화에 따라 체온이 변하면 간뇌의 명령으로 열 방출량과 열 발생량을 조절하여 체온을 유지한다.

추울 때	열 방출량 감소	피부 근처 혈관 수축
	열 발생량 증가	근육을 떨리게 함, 세포 호흡 촉진
더울 때	열 방출량 증가	피부 근처 혈관 확장
	열 발생량 감소	땀 분비 증가

2) **혈당량 조절 과정** : 이자에서 분비하는 인슐린과 글루카곤의 작용으로 혈당량을 유지한다.

혈당량 높을 때	이자에서 인슐린 분비 → 혈당량 낮아짐
혈당량 낮을 때	이자에서 글루카곤 분비 → 혈당량 높아짐

Exercises

01 다음에서 설명하는 눈 부위의 명칭을 쓰시오.

(1) 상이 맺히는 곳으로, 시각 세포가 있다. ………………………… (　　　)

(2) 빛을 굴절시켜 망막에 상이 맺히게 한다. ………………………… (　　　)

(3) 동공의 크기를 조절하여 눈으로 들어오는 빛의 양을 조절한다. … (　　　)

02 다음은 주변 밝기에 따른 눈의 변화이다. (　　) 안에 알맞은 말을 고르시오.

(1) 밝을 때 : 홍채 (수축 / 이완) ⇒ 동공 (축소 / 확대)

(2) 어두울 때 : 홍채 (수축 / 이완) ⇒ 동공 (축소 / 확대)

03 다음에서 설명하는 귀 부위의 명칭을 쓰시오.

(1) 몸의 회전을 감지한다. ……………………………………………… (　　　)

(2) 소리를 자극으로 받아들이는 청각 세포가 있다. ………………… (　　　)

(3) 몸의 기울어짐을 감지한다. ………………………………………… (　　　)

04 다음은 자극의 전달 경로이다. (　　) 안에 알맞은 말을 쓰시오.

감각 기관 → (　　　　　) → 연합 뉴런 → (　　　　　) → 반응 기관

05 다음에서 설명하는 뇌 부위의 명칭을 쓰시오.

(1) 몸의 균형을 유지한다. ……………………………………………… (　　　)

(2) 심장 박동, 호흡 운동, 소화 운동 등을 조절한다. ……………… (　　　)

(3) 고등 정신 활동을 담당한다. ……………………………………… (　　　)

06 (　　　　　)은 내분비샘에서 분비되어 적은 양으로 큰 효과를 나타내는 화학 물질이다.

07 몸 안팎의 환경이 변해도 몸의 상태를 일정하게 유지하는 성질을 (　　　　　) 이라고 한다.

08 식사 후 혈당량이 높아졌을 때 분비되는 호르몬은 (　　　　　)이다.

정답 140쪽

05 생식과 유전

1 세포 분열

(1) 세포 분열과 생장

1) 생장은 세포의 크기가 계속 커져서가 아니라 세포의 수가 늘어나면서 일어난다. ⇒ 몸집이 큰 동물은 작은 동물에 비해 세포의 수가 많으며, 세포의 크기는 거의 비슷하다.

2) **세포 분열이 필요한 이유** : 세포에서 물질 교환을 효율적으로 하기 위해

(2) 염색체 : 유전 정보를 담아 전달하는 역할을 하는 것

⇒ 세포가 분열하지 않을 때는 실처럼 풀어져 있다가, 세포가 분열하기 시작하면 뭉쳐져 막대 모양으로 나타난다.

1) **구성** : DNA(유전 물질) + 단백질

2) **상동 염색체** : 체세포에서 쌍을 이루고 있는 크기와 모양이 같은 2개의 염색체

⇒ 하나는 어머니에게서, 하나는 아버지에게서 물려받은 것이다.

3) **사람의 염색체** : 사람의 체세포에는 46개(23쌍)의 염색체가 있다.

⇒ 상염색체 44개(22쌍) + 성염색체 2개(1쌍)

① 상염색체 : 남녀에게 공통적으로 들어 있는 염색체

② 성염색체 : 성을 결정하는 염색체 (남자 : XY, 여자 : XX)

(3) 체세포 분열

1) **간기** : 세포 분열 준비(유전물질 복제 등)

2) **분열기**

① 전기 : 염색체가 처음 나타남

② 중기 : 염색체가 세포 중앙에 배열(염색체 관찰의 최적기)

③ 후기 : 염색 분체가 양극으로 이동

④ 말기 : 2개의 딸세포 형성

3) **체세포 분열 결과** : 생장과 재생

(4) 감수 분열(생식세포 분열) : 생식 기관에서 생식세포를 만들 때 일어나는 세포

1) **과정** : 간기를 거친 후 감수 1분열과 감수 2분열이 연속해서 일어난다.

2) **감수 1분열** : 상동 염색체가 분리되어 서로 다른 딸세포로 들어간다.

⇒ 염색체 수가 절반으로 줄어든다.

3) **감수 2분열** : 염색 분체가 분리되어 서로 다른 딸세포로 들어간다.

⇒ 염색체 수가 변하지 않는다.

4) **의의** : 감수 분열로 만들어진 생식세포의 염색체 수가 체세포의 절반이기 때문에 부모의 생식세포가 한 개씩 결합하여 생긴 자손의 염색체 수는 부모와 같다.

⇒ 세대를 거듭해도 자손의 염색체 수가 항상 일정하게 유지된다.

5) **체세포 분열과 감수 분열의 비교**

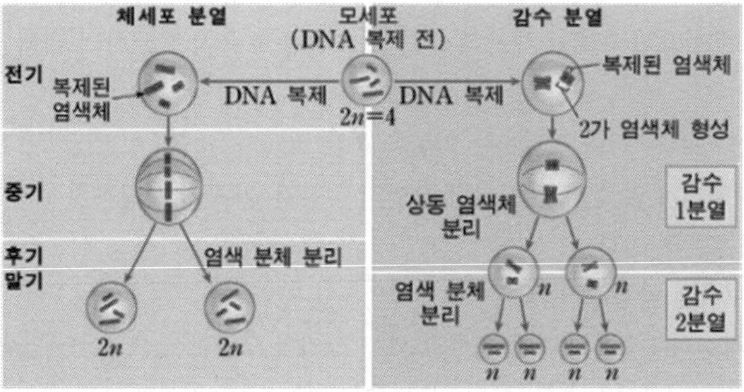

구분	분열 횟수	딸세포 수	염색체 수	분열 결과
체세포 분열	1회	2개	변화 없음	생장, 재생
감수 분열	연속 2회	4개	절반으로 줄어듦	생식세포 형성

2 사람의 발생

(1) 사람의 생식세포

구분	생성 장소	염색체 수	크기	운동성
정자	정소	23개	작다	있다
난자	난소	23개	크다	없다

(2) **수정** : 정자와 난자 같은 암수의 생식세포가 결합하는 것

⇒ 정자와 난자가 수정하면 수정란이 된다.

(3) **발생** : 수정란이 세포 분열을 하면서 여러 과정을 거쳐 개체가 되는 것

1) **난할** : 체세포 분열이지만 딸세포의 크기가 커지지 않고, 세포 분열을 빠르게 반복한다.
⇒ 난할이 진행되면 세포 수가 늘어나고, 세포 각각의 크기는 점점 작아진다.

2) **착상** : 수정 후 약 일주일이 지나 수정란이 포배가 되어 자궁 안쪽 벽을 파고들어 가는 현상 ⇒ 착상되었을 때부터 임신이라고 한다.

3) **배란에서 착상까지의 과정** : 배란 → 수정 → 난할 → 착상(임신)

(4) **출산** : 태아는 수정된 지 약 266일이 지나면 출산 과정을 거쳐 모체 밖으로 나온다.

3 멘델의 유전 원리

(1) **유전** : 부모의 형질이 자녀에게 전달되는 현상

1) **형질** : 생물이 지니고 있는 여러 가지 특성
예 모양, 색깔, 성질 등

2) **대립 형질** : 한 가지 형질에서 뚜렷하게 구분되는 변이
예 씨 모양 : 둥글다, 주름지다 / 씨 색깔 : 노란색, 초록색

3) **순종** : 한 가지 형질을 나타내는 유전자의 구성이 같은 개체
예 *RR*, *RRyy*

4) **잡종** : 한 가지 형질을 나타내는 유전자의 구성이 다른 개체
예 *Rr*, *RrYy*

(2) 멘델이 밝힌 유전 원리

1) 한 쌍의 대립 형질의 유전

순종의 둥근 완두(*RR*)와 순종의 주름진 완두(*rr*)를 교배했더니 잡종 1대에서 모두 둥근 완두(*Rr*)만 나왔고, 이를 자가 수분하였더니 잡종 2대에서 둥근 완두와 주름진 완두가 약 3:1의 비로 나왔다.

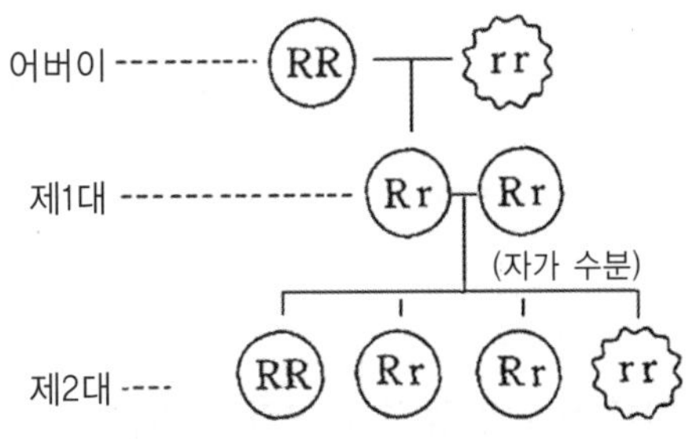

① 우열의 원리 : 대립 형질이 다른 두 순종 개체를 교배하여 얻은 잡종 1대에는 대립 형질 중 한 가지만 나타난다. ⇒ 나타나는 형질을 우성, 나타나지 않는 형질을 열성이라고 한다. (둥근 완두 : 우성, 주름진 완두 : 열성)

② 분리의 법칙 : 쌍을 이루고 있던 대립유전자가 감수 분열이 일어날 때 분리되어 서로 다른 생식세포로 들어간다.

2) 두 쌍의 대립 형질의 유전

순종의 둥글고 노란색인 완두(*RRYY*)와 순종의 주름지고 초록색인 완두(*rryy*)를 교배했더니 잡종 1대에서 모두 둥글고 노란색인 완두(*RrYy*)만 나왔고, 이를 자가 수분하였더니 잡종 2대에서 둥글고 노란색, 둥글고 초록색, 주름지고 노란색, 주름지고 초록색인 완두가 약 9:3:3:1의 비로 나왔다.

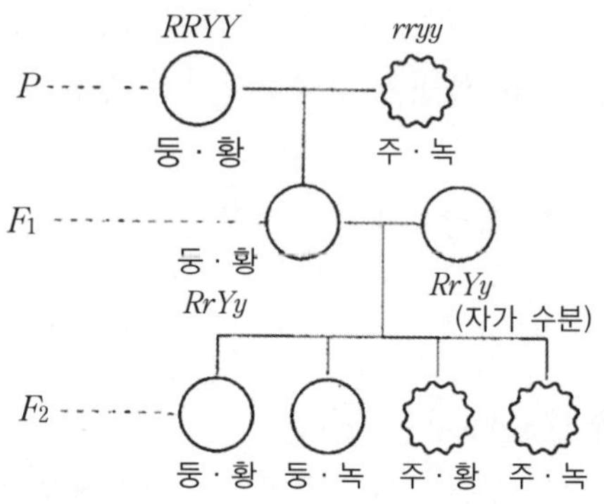

① 독립의 법칙 : 두 쌍 이상의 대립유전자가 서로 영향을 미치지 않고 각각 분리의 법칙에 따라 유전된다.

3) 우열의 원리가 성립하지 않는 유전

① 중간 유전 : 대립유전자의 우열 관계가 불완전하여 중간 형질이 표현되는 유전

예 분꽃 실험 : 순종의 붉은색 분꽃(*RR*)과 순종의 흰색 분꽃(*WW*)을 교배하면 잡종 1대에서 모두 분홍색 분꽃(*RW*)만 나타난다.

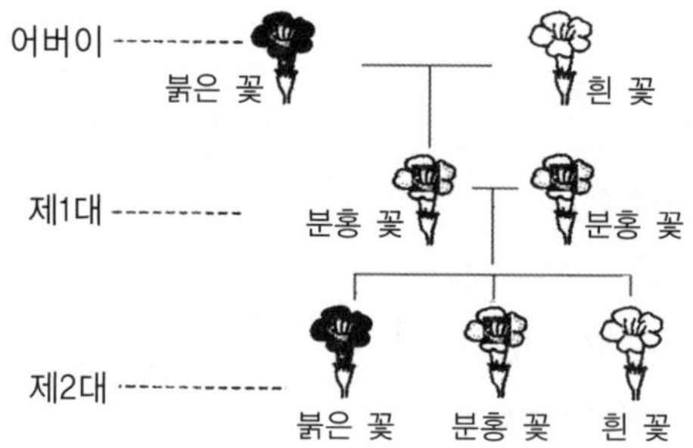

4 사람의 유전

(1) 사람의 유전 연구가 어려운 이유

1) 한 세대가 길고 자손의 수가 적다.

2) 대립 형질이 복잡하고, 환경의 영향을 많이 받는다.

3) 교배 실험이 불가능하다.

(2) 사람의 유전 연구 방법 : 주로 간접적인 방법을 이용한다.

⇒ 가계도 조사, 쌍둥이 연구, 통계 조사, DNA 분석(최근) 등

(3) 상염색체 유전 : *ABO*식 혈액형

1) **특징** : *A*, *B*, *O* 세 가지 대립유전자가 관여하며, 한 사람은 *A*, *B*, *O* 중 2개의 대립유전자를 가진다.

2) **우열 관계** : 유전자 *A*와 *B* 사이에는 우열 관계가 없고, 유전자 *A*와 *B*는 유전자 *O*에 대해 우성이다.($A = B > O$)

표현형	*A*형	*B*형	*AB*형	*O*형
유전자형	*AA*, *AO*	*BB*, *BO*	*AB*	*OO*

(4) 성염색체 유전 : 적록 색맹

1) **반성유전** : 유전자가 성염색체에 있어 유전 형질이 나타나는 빈도가 남녀에 따라 차이가 나는 유전 현상

2) **우열 관계** : 적록 색맹 유전자(X')는 정상 유전자(X)에 대해 열성이다.($X > X'$)

표현형		정상	적록 색맹
유전자형	남자	XY	$X'Y$
	여자	XX, XX'	$X'X'$

3) **특징** : 여자보다 남자에게 더 많이 나타난다.

⇒ 성염색체 구성이 *XY*인 남자는 적록 색맹 유전자가 한 개만 있어도 적록 색맹이 되지만, 성염색체 구성이 *XX*인 여자는 2개의 *X*염색체에 모두 적록 색맹 유전자가 있어야 적록 색맹이 되기 때문

Exercises

01 체세포에서 쌍을 이루고 있는 모양과 크기가 같은 2개의 염색체를 (   ) 라고 한다.

02 남자의 염색체 구성은 (   )이고, 여자의 염색체 구성은 (   ) 이다.

03 체세포 분열 시기 중 염색체가 중앙에 배열되어 가장 관찰하기 좋은 시기는 (전기 / 중기 / 후기 / 말기)이다.

04 감수 분열에 대한 설명으로 옳은 것은 ○, 옳지 않은 것은 ×로 표시하시오.

(1) 감수 1분열 결과 염색체 수가 절반으로 줄어든다. ························ (   )

(2) 감수 2분열 후기에 상동 염색체가 분리된다. ······························ (   )

05 정자와 난자 같은 암수의 생식세포가 결합하는 것을 (   )이라 한다.

06 한 쌍의 대립 형질을 교배했을 때, 잡종 1대에서 우성 형질만 나타나는 원리를 (   )라 한다.

07 대립유전자 사이에 우열 관계가 불완전한 유전을 (   )유전이라 한다.

08 혈액형이 AO형인 A형 여성과 BO형인 B형 남성이 결혼할 경우, 태어날 자녀의 혈액형은 (   )이다.

09 유전자가 성염색체에 있어 유전 형질이 나타나는 빈도가 남녀에 따라 차이가 나는 유전 현상을 (   )이라 한다.

10 어머니가 색맹일 경우 아들이 색맹일 확률은 (   )%이다.

정답 140쪽

06 에너지 전환과 보존

1 역학적 에너지 전환과 보존

(1) 역학적 에너지 : 물체가 가진 중력에 의한 위치 에너지와 운동 에너지의 합

(2) 역학적 에너지의 전환 : 물체의 높이가 변하면 위치 에너지와 운동 에너지가 서로 전환된다.

1) **물체가 자유 낙하할 때** : 위치 에너지 감소, 운동 에너지 증가

⇒ 위치 에너지가 운동 에너지로 전환된다.

2) **물체를 던져 올렸을 때** : 위치 에너지 증가, 운동 에너지 감소

⇒ 운동 에너지가 위치 에너지로 전환된다.

(3) 역학적 에너지 보존 법칙 : 공기 저항이나 마찰이 없을 때 운동하는 물체의 역학적 에너지는 항상 일정하게 보존된다.

역학적 에너지 = 위치 에너지 + 운동 에너지 = **일정**

(4) 여러 가지 운동의 역학적 에너지 보존

1) **자유 낙하 운동**

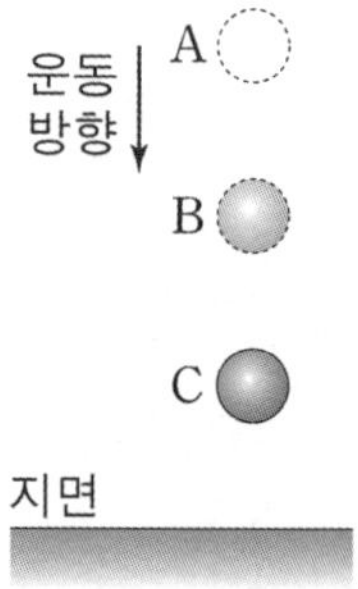

① 최고점에서 위치 에너지는 최대, 운동 에너지는 0이다.

② 바닥에 닿는 순간 위치 에너지는 0, 운동 에너지는 최대이다.

③ 역학적 에너지는 보존되므로 감소한 위치 에너지는 증가한 운동 에너지와 같다.

2) **롤러코스터 운동**

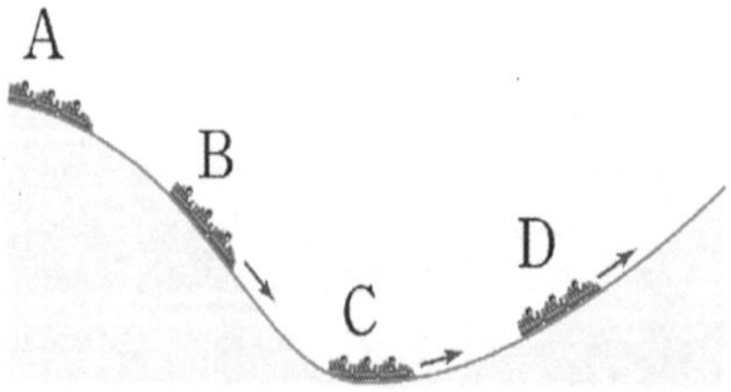

① A점에서 위치 에너지가 최대이다.

② A → C : 위치 에너지가 운동 에너지로 전환된다.

③ C점에서 운동 에너지가 최대, 위치 에너지가 최소이다.

④ C → D : 운동 에너지가 위치 에너지로 전환된다.

3) 진자 운동

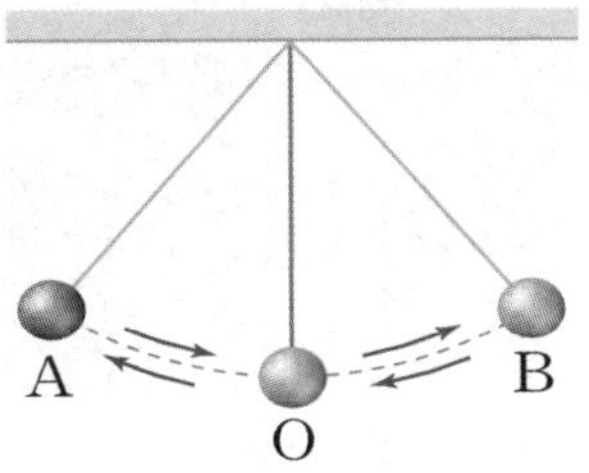

① A, B점에서 위치 에너지가 최대, 운동 에너지는 0이다.

② A → O : 위치 에너지가 운동 에너지로 전환된다.

③ O점에서 운동 에너지가 최대이다.

④ O → B : 운동 에너지가 위치 에너지로 전환된다.

4) 위로 비스듬히 던져 올린 물체의 운동

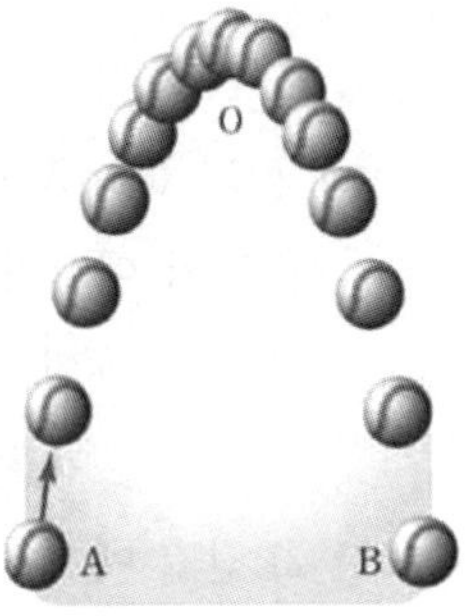

① A점에서 위치 에너지는 0이고, 운동 에너지가 최대이다.

② A → O : 운동 에너지가 위치 에너지로 전환된다.

③ O점에서 위치 에너지가 최대이지만 운동 에너지는 0이 아니다.

④ O → B : 위치 에너지가 운동 에너지로 전환된다.

2 전기 에너지의 발생과 전환

(1) 전자기 유도 : 코일 주위에서 자석을 움직이면 코일을 통과하는 자기장이 변하면서 코일에 전류가 흐르는 현상

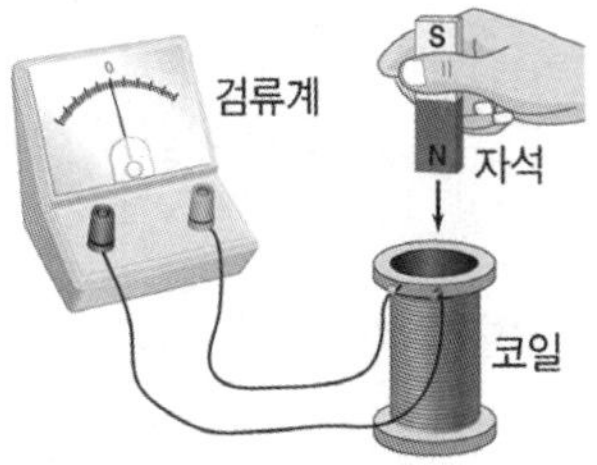

(2) 유도 전류 : 전자기 유도에 의해 코일에 흐르는 전류

1) 강한 자석을 움직일수록 센 전류가 유도된다.

2) 코일을 많이 감을수록 센 전류가 유도된다.

3) 자석을 빠르게 움직일수록 센 전류가 유도된다.

(3) 전자기 유도가 일어나지 않는 경우 : 자석이나 코일이 움직이지 않으면 코일 내부의 자기장이 변하지 않아 유도 전류가 흐르지 않는다.

(4) 전자기 유도의 이용 : 발전기, 변압기, 금속 탐지기, 도난 방지 장치, 교통 카드 판독기, 고속도로의 통행료 지불 단말기, 마이크 등

도난 방지 장치

고속도로 통행료 지불 단말기

(5) 전기 에너지의 전환

1) **전기 에너지** : 전류가 흐를 때 공급되는 에너지 (단위 : J(줄))

2) 전기 에너지는 다른 형태의 에너지로 쉽게 전환하여 사용할 수 있기 때문에 우리 생활에 많이 이용된다.

3) **전기 에너지 전환의 이용**

① 열에너지 : 전기다리미, 전기밥솥, 전기난로 등

② 빛에너지 : 형광등, TV, 컴퓨터 모니터 등

③ 소리 에너지 : 오디오, 스피커, 휴대전화 등

④ 운동 에너지 : 선풍기, 청소기, 세탁기 등

⑤ 화학 에너지 : 배터리 충전 등

(6) 소비 전력 : 1초 동안 전기 기구가 소모하는 전기 에너지의 양 (단위 : W(와트))

1) **1W** : 1초 동안 1J의 전기 에너지를 사용할 때의 전력

2) 220V-100W인 전기 기구는 220V에 연결하면 1초 동안 100J의 전기 에너지를 사용한다.

(7) 전력량 : 전기 기구가 일정 시간 동안 소모하는 전기 에너지의 양 (단위 : Wh(와트시))

1) **전력량(Wh) = 소비 전력(W) × 시간(h)**

2) **1Wh는 소비 전력이 1W인 전기 기구를 1시간 동안 사용했을 때의 전력량이다.**

(8) 에너지 전환과 보존

1) **에너지 전환** : 에너지는 한 형태에서 다른 형태로 전환된다.

2) **에너지 보존 법칙** : 에너지는 전환 과정에서 새로 생기거나 없어지지 않으므로 에너지의 총량은 항상 일정하게 보존된다.

⇒ 에너지의 총량은 보존되지만 에너지가 전환되는 과정에서 일부는 다시 사용 할 수 없는 열에너지, 소리 에너지 등으로 전환되므로 에너지를 절약해야 한다.

Exercises

단원문제 6

01 공기 저항이나 마찰이 없을 때 운동하는 물체의 ( ) 에너지는 항상 일정하게 보존된다.

02 자유 낙하하는 물체의 위치 에너지는 ( )하고, 운동 에너지는 ( )한다.

03 물체의 운동 에너지가 위치 에너지로 전환되는 경우는?

① 언덕 위에서 자전거를 타고 내려올 때
② 장대높이뛰기 선수가 뛰어오를 때
③ 바람개비가 바람에 의해 돌고 있을 때
④ 처마 끝에서 빗방울이 떨어질 때

04 ( )는 코일 주위에서 자석을 움직이면 코일을 통과하는 자기장이 변하면서 코일에 전류가 흐르는 현상이다.

05 전자기 유도 원리를 이용한 예가 <u>아닌</u> 것은?

① 발전기 ② 변압기
③ 도난 방지 장치 ④ 전열기

Exercises

06 다음은 전기 기구에서의 에너지 전환을 나타낸 것이다. (　　　) 안에 알맞은 에너지를 쓰시오.

(1) 세탁기 : 전기 에너지 → (　　　) 에너지

(2) 형광등 : 전기 에너지 → (　　　) 에너지

(3) 배터리 충전 : 전기 에너지 → (　　　) 에너지

07 어떤 전기 기구를 3시간 동안 사용했을 때 소비한 전력량이 3000 Wh였다. 이 전기 기구의 소비 전력은? (　　　　　) W

08 에너지는 전환 과정에서 새로 생기거나 없어지지 않으므로 에너지의 총량은 항상 일정하게 보존된다는 법칙을 (　　　　　　　　　) 법칙이라 한다.

정답 140쪽

07 별과 우주

1 별

(1) 연주 시차와 별까지의 거리

1) **시차** : 멀리 떨어진 두 지점에서 관측자가 같은 물체를 관측할 때, 두 관측 지점과 물체가 이루는 각도

2) **연주 시차** : 지구에서 6개월 간격으로 별을 관측하여 측정한 시차의 1/2

① 연주 시차는 지구가 공전하기 때문에 나타난다.

② 가까이 있는 별일수록 연주 시차가 크다.

③ 연주 시차를 이용하여 별까지의 거리를 구할 수 있다.

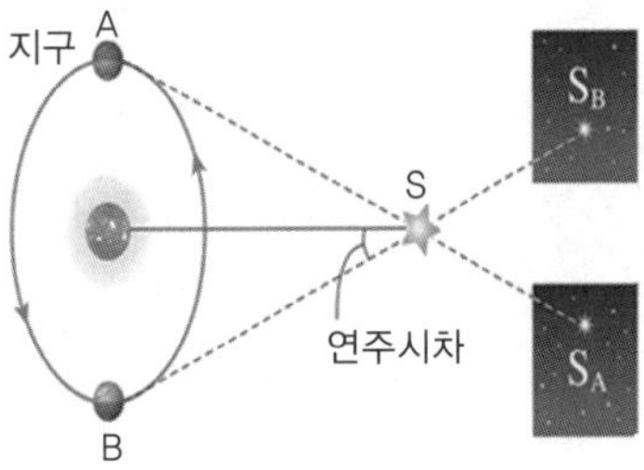

$$\text{별까지의 거리} = \frac{1}{\text{연주 시차}}\ (pc)$$

(2) 별의 밝기와 등급

1) **별의 밝기 표시**

① 히파르코스는 처음으로 별의 밝기를 등급으로 나타내었다. ⇒ 가장 밝게 보이는 별을 1등급, 가장 어둡게 보이는 별을 6등급으로 정하였다.

② 등급이 작을수록 밝은 별이고, 등급이 클수록 어두운 별이다.

③ **1등급인 별은 6등급인 별보다 약 100배 밝다.**

④ 1등급 차이는 **약 2.5배**의 밝기 차이가 있다.

2) **겉보기 등급과 절대 등급**

겉보기 등급	절대 등급
· 우리 눈에 보이는 별의 밝기를 나타낸 등급 · 별까지의 거리를 고려하지 않고 나타낸 등급 · 등급이 작을수록 우리 눈에 밝게 보임	· 별이 10pc 거리에 있다고 가정했을 때 별의 밝기를 나타낸 등급 · 별의 실제 밝기를 비교 가능 · 절대 등급이 작을수록 실제로 밝은 별임

(3) **별의 색깔** : 표면 온도가 높을수록 파란색을 띠고, 표면 온도가 낮을수록 붉은색을 띤다.

⇒ 별마다 표면 온도가 다르기 때문에 별의 색깔이 다르게 나타난다.

2 은하와 우주

(1) **은하** : 우주 공간에 수많은 별로 이루어진 거대한 천체 집단

1) **우리은하** : 태양계가 속해 있는 은하

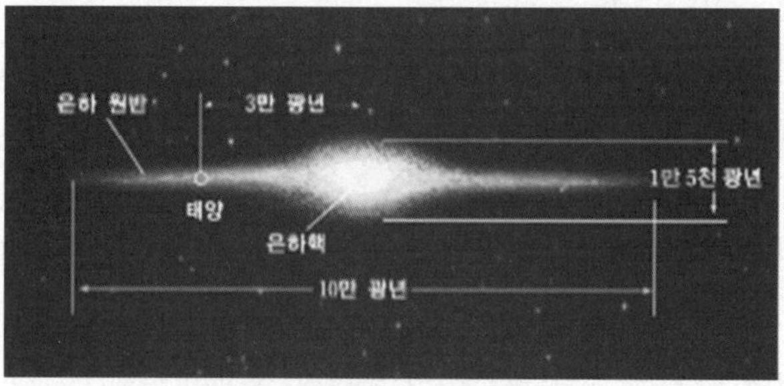

옆에서 본 모습

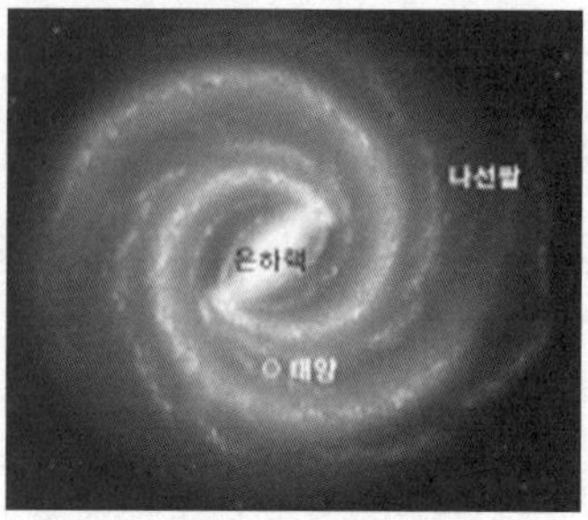

위에서 본 모습

① 모양 : 옆에서 본 모습은 **원반형**, 위에서 본 모습은 **나선형(막대 나선 은하)**

② 크기 : 지름이 약 10만 광년

③ 태양계 위치 : 은하 중심에서 약 3만 광년 떨어진 나선팔

2) **은하수** : 밤하늘을 가로지르는 희미한 띠로, 무수히 많은 별이 모여 있는 것
⇒ 우리은하의 일부가 보이는 것이다.

(2) **성단과 성운**

1) **성단** : 수많은 별들이 무리를 지어 모여 있는 집단

① 구상 성단 : 수많은 별들이 구형으로 빽빽하게 모여 있는 성단

· 구성 : 늙은 별
· 색 : 붉은색
· 온도 : 낮다
· 분포 위치 : 우리은하의 중심부(은하핵)

② 산개 성단 : 별들이 비교적 엉성하게 모여 있는 성단

· 구성 : 젊은 별
· 색 : 푸른색
· 온도 : 높다
· 분포 위치 : 우리은하의 나선팔

2) **성운** : 성간 물질이 많이 모여 구름처럼 보이는 천체

종류	방출 성운	반사 성운	암흑 성운
모습			
특징	성간 물질이 주변의 별빛을 흡수하여 가열되면서 스스로 빛을 내는 성운	성간 물질이 주변의 별빛을 반사하여 밝게 보이는 성운	성간 물질이 뒤쪽에서 오는 별빛을 가로막아 어둡게 보이는 성운
예	오리온 대성운	메로페 성운	말머리 성운

3) **외부 은하** : 우리은하 밖에 있는 은하

① 타원 은하 : 나선팔이 없고, 구형이나 타원체 모양

② 나선 은하

· 정상 나선 은하 : 둥근 형태의 은하 중심에서 나선팔이 휘어져 나온 모양

· 막대 나선 은하 : 은하 중심에 막대 모양의 구조가 있고, 그 끝에서 나선팔이 휘어져 나온 모양

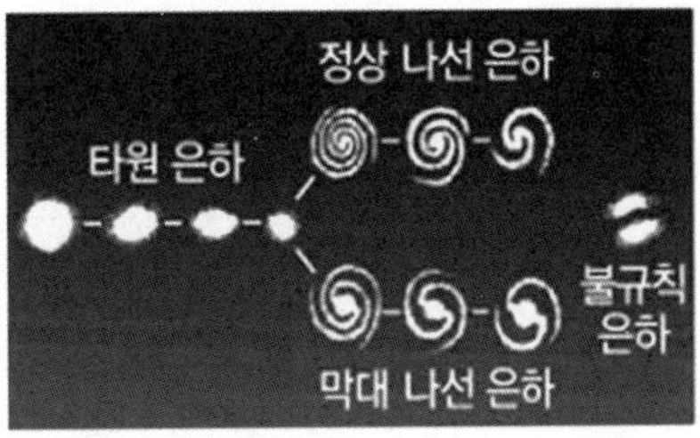

③ 불규칙 은하 : 규칙적인 모양이 없음

(3) 우주의 팽창

1) **우주** : 우리은하를 비롯하여 외부 은하 전체가 차지하는 거대한 공간

2) **우주의 팽창**

① 모든 은하는 서로 멀어지고 있다.

② 멀리 있는 은하일수록 더 빨리 멀어진다.

③ 특별한 중심 없이 모든 방향으로 균일하게 팽창하고 있다.

3) **대폭발 우주론(빅뱅 우주론)** : 하나의 점이었던 우주가 약 138억 년 전 폭발한 후 계속 팽창하여 오늘날의 우주가 만들어졌다는 이론

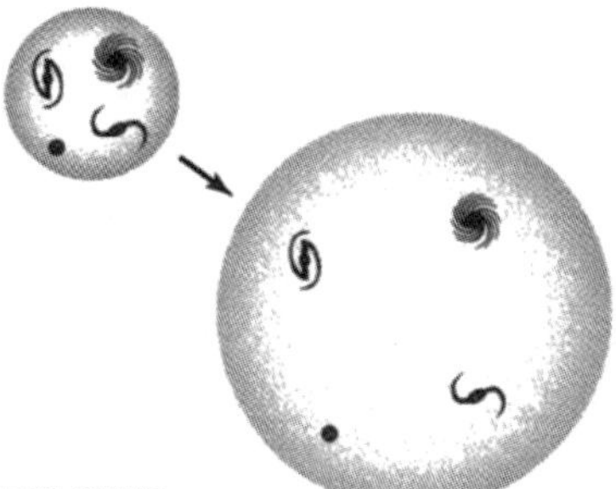
빅뱅 우주론

(4) 우주 탐사

1) **우주 탐사 목적** : 우주 이해, 지하자원 채취, 우주 산업 발달 등
2) **우주 탐사 장비** : 인공위성, 우주 탐사선, 우주 정거장 등
3) **우주 탐사의 영향** : 인공위성을 이용하여 일기 예보, 위성 생중계 방송 시청, 위치 파악 등이 가능하다.

Exercises

단원문제 7

01 (　　　　　　)는 지구에서 6개월 간격으로 별을 관측하여 측정한 시차의 1/2로, 지구가 (　　　　)하기 때문에 나타난다.

02 별의 등급이 (　　　)수록 밝은 별이고, (　　　)수록 어두운 별이다.

03 1등급인 별은 6등급인 별보다 약 (　　　)배 밝고, 1등급 차이는 약 (　　　　)배의 밝기 차이가 있다.

04 우리은하는 옆에서 본 모습은 (　　　　)이고, 위에서 본 모습은 나선형 중에서도 (　　　　　　　　　)이다.

05 우리은하의 지름은 약 (　　　) 광년이고, 태양계는 은하 중심에서 약 (　　　) 광년 떨어진 나선팔에 있다.

06 (　　　) 성단은 수많은 별들이 구형으로 빽빽하게 모여 있는 성단이고, (　　　) 성단은 별들이 비교적 엉성하게 모여 있는 성단이다.

07 성간 물질이 뒤쪽에서 오는 별빛을 가로막아 어둡게 보이는 성운을 (　　　) 성운 또는 말머리 성운이라 한다.

08 (　　　　) 우주론은 하나의 점이었던 우주가 약 138억 년 전 폭발한 후 계속 팽창하여 오늘날의 우주가 만들어졌다는 이론이다.

정답 140쪽

08 과학기술과 인류 문명

1 과학기술과 인류 문명

(1) 과학 원리의 발견이 인류 문명에 미친 영향

1) **태양 중심설(코페르니쿠스)** : 망원경으로 천체를 관측하여 태양 중심설의 증거를 발견하면서 경험 중심의 과학적 사고를 중요시하게 되었다.
2) **만유인력 법칙(뉴턴)** : 만유인력 법칙을 발견하여 자연 현상을 이해하고 그 변화를 예측할 수 있게 하였다.
3) **암모니아 합성(하버)** : 암모니아 합성법을 개발한 후 질소 비료를 대량 생산할 수 있게 되면서 식량 문제 해결에 기여하였다.
4) **전자기 유도 법칙(패러데이)** : 전자기 유도 법칙을 발견하여 전기를 생산하고 활용할 수 있는 방법을 열었다.

(2) 과학기술이 인류 문명의 발달에 미친 영향

1) **인쇄** : 인쇄술의 발달은 책의 대량 생산과 보급을 가능하게 하여 지식과 정보가 빠르게 확산되었다.
2) **의료** : 의약품과 치료 방법, 의료 기기 등이 개발되어 인류의 평균 수명이 길어졌다.
3) **교통** : 교통수단의 발달로 먼 거리까지 많은 물건을 빠르게 운반할 수 있게 되어 산업이 크게 발달하였다.
4) **농업** : 화학 비료 등이 개발되어 농산물의 품질이 향상되고, 생산량이 증가하였다.
5) **정보 통신** : 정보 통신 분야의 기술 발달은 인류의 문명과 생활을 크게 변화시켰다.

(3) 생활을 편리하게 하는 과학기술

1) **나노 기술** : 나노 물질의 독특한 특성을 이용하여 다양한 소재나 제품을 만드는 기술 예 나노 반도체, 나노 로봇, 휘어지는 디스플레이 등
2) **생명 공학 기술** : 생물의 특성과 생명 현상을 이해하고, 이를 인간에게 유용하게 이용하거나 인위적으로 조작하는 기술 예 유전자 재조합 기술, 세포 융합 등
3) **정보 통신 기술** : 정보 기기의 하드웨어와 소프트웨어 기술, 이 기술을 이용한 정보 수집, 생산, 가공, 보존, 전달, 활용하는 모든 방법 예 인공 지능(AI), 빅데이터 기술, 가상 현실(VR) 등

Exercises

단원문제 8

01 과학기술이 인류 문명의 발달에 미친 영향에 대한 설명으로 옳은 것은 O, 옳지 않은 것은 X로 표시하시오.

(1) 암모니아 합성 기술을 이용하여 개발된 질소 비료는 식량 감소에 큰 역할을 하였다. ······ (　　)

(2) 페니실린과 같은 항생제의 개발로 결핵과 같은 질병을 치료할 수 있게 되었다. ······ (　　)

(3) 인쇄 기술의 발달로 책의 종류가 너무 많아져 사람들은 책에서 지식을 얻기 힘들어졌다. ······ (　　)

02 다음 설명에 해당하는 과학기술은?

> 생물의 특성과 생명 현상을 이해하고, 이를 인간에게 유용하게 이용하거나 인위적으로 조작하는 기술이다. 유전자 재조합 기술, 바이오 의약품, 세포 융합 등이 예에 해당한다.

① 나노 기술　　② 생명 공학 기술
③ 인쇄 기술　　④ 정보 통신 기술

정답 140쪽

단원문제
정 답

S c i e n c e

단원문제 정답

[1학년]

1. 지권의 변화

01. ③
02. 지진파 분석
03. 액체, 고체
04. 맨틀
05. 화성암
06. 화성암
07. 퇴적암
08. ③
09. 물
10. 토양
11. 판, 판
12. 지진

2. 여러 가지 힘

01. 뉴턴
02. 중력
03. 질량, 무게
04. 10
05. ㄱ, ㄴ, ㄹ
06. 운동
07. (1) ㄱ, ㄴ, ㄹ (2) ㄷ, ㅁ
08. 부력
09. 중력

3. 생물의 다양성

01. 생물 다양성
02. 변이
03. 종
04. 속, 과, 계
05. ②
06. 복잡, 단순
07. 남획
08. ①

4. 기체의 성질

01. 확산
02. ㄴ, ㄹ
03. 증발
04. ㄴ, ㄹ
05. 보일
06. ②
07. 감소, 커
08. 샤를

5. 물질의 상태 변화

01. 액체
02. (1) 액체 (2) 고체 (3) 고체 (4) 기체 (5) 액체 (6) 고체

03. 상태 변화
04. (1) 응고 (2) 액화 (3) 융해 (4) 기화 (5) 승화 (6) 승화
05. ㄱ, ㄷ, ㅁ, ㅂ
06. 녹는점, 끓는점
07. ②

6. 빛과 파동

01. 빨간색, 파란색, 초록색
02. ④
03. 반사, 빨간색
04. ㄱ, ㄷ
05. 앞, 오목
06. 진동, 매질
07. ㄱ, ㅁ, ㅂ
08. 파장
09. 큰, 높은

7. 과학과 나의 미래

01. 융합, 융합
02. ㄱ, ㄴ
03. ③

[2학년]

1. 물질의 구성

01. 원소
02. 산소
03. 나트륨, 노란
04. 원자핵, 전자
05. 중성
06. C, O
07. ③
08. 이온, 양, 음
09. 2, 잃
10. 앙금

2. 전기와 자기

01. 전자
02. 정전기 유도
03. 검전기
04. 다른, 같은
05. 전자
06. 전자
07. 옴의 법칙
08. N
09. 동심원
10. ④
11. 자기장

3. 태양계

01. 자전, 하루
02. 공전, 1년
03. ④
04. ④
05. 일식, 삭
06. 표면, 대기, 코로나
07. 내행성, 외행성
08. 밀도
09. 화성
10. 토성

4. 식물과 에너지

01. 엽록체
02. 이산화탄소, 산소
03. 증가, 감소
04. 증산 작용
05. ㄱ, ㄹ
06. (1) × (2) × (3) ○ (4) ○
07. ③

5. 동물과 에너지

01. (1) 호흡계 (2) 순환계 (3) 소화계 (4) 배설계
02. 탄수화물, 지방, 단백질
03. 소화
04. 동맥, 정맥
05. 혈소판, 백혈구
06. (1) 코 (2) 폐
07. 갈비뼈, 가로막
08. 배설
09. 사구체, 보먼주머니, 세뇨관
10. (1) 보먼주머니 (2) 세뇨관 (3) 세뇨관

6. 물질의 특성

01. (1) ○ (2) ○ (3) ×
02. ㄱ, ㄴ, ㄹ, ㅅ
03. 끓는점
04. 큰, 작은
05. 용해도
06. 분별 증류
07. 밀도
08. 재결정
09. 크로마토그래피

7. 수권과 해수의 순환

01. 해수
02. 수자원
03. 농업
04. 태양 에너지
05. 적어, 낮아
06. 수온 약층
07. 염류, 염화나트륨
08. 염분비 일정
09. 난류, 한류
10. 조경 수역
11. 만조, 간조

8. 열과 우리 생활

01. 높을수록, 뜨거운 물
02. 대류
03. (1) 대류 (2) 전도 (3) 복사
04. 단열
05. 열평형
06. 비열
07. 작은
08. 열팽창
09. 활발, 멀어

09. 재해 · 재난과 안전

01. ㉠ ㄱ, ㄹ, ㅁ ㉡ ㄴ, ㄷ, ㅂ
02. 감염성
03. 내진
04. (1) ○ (2) ○ (3) × (4) ○

[3학년]

1. 화학 반응의 규칙과 에너지 변화

01. ㄴ, ㄷ, ㅁ
02. (1) 2, 2 (2) 3, 2
03. 질량 보존
04. 질량비
05. 부피, 분자 수
06. 발열, 흡열
07. 발열

2. 기권과 날씨

01. 성층권
02. 평형
03. 지구 온난화, 이산화탄소
04. 이슬점, 높
05. 높다
06. 팽창, 수증기 응결
07. 낮
08. (1) × (2) ○
09. 대륙, 해양에서 대륙으로
10. 시베리아
11. 고기압, 저기압

3. 운동과 에너지

01. A : 일정, B : 감소
02. ㄱ, ㄷ
03. 도착한다
04. 힘, 이동 거리
05. 0, 수직
06. 29.4J
07. 16J

4. 자극과 반응

01. (1) 망막 (2) 수정체 (3) 홍채
02. (1) 이완, 축소 (2) 수축, 확대
03. (1) 반고리관 (2) 달팽이관 (3) 전정 기관
04. 감각 뉴런, 운동 뉴런
05. (1) 소뇌 (2) 연수 (3) 대뇌
06. 호르몬 07. 항상성 08. 인슐린

5. 생식과 유전

01. 상동 염색체 02. 44 + XY, 44 + XX 03. 중기
04. (1) ○ (2) × 05. 수정 06. 우열의 원리
07. 중간 08. AB, A, B, O형 09. 반성 유전
10. 100

6. 에너지 전환과 보존

01. 역학적 02. 감소, 증가 03. ②
04. 전자기 유도 05. ④
06. (1) 운동 (2) 빛 (3) 화학
07. 1000 08. 에너지 보존

7. 별과 우주

01. 연주 시차, 공전 02. 작을, 클 03. 100, 2.5
04. 원반형, 막대 나선 은하 05. 10만, 3만 06. 구상, 산개
07. 암흑 08. 빅뱅

8. 과학기술과 인류 문명

01. (1) × (2) ○ (3) × 02. ②

과학

인쇄일	2022년 9월 13일
발행일	2022년 9월 20일
펴낸이	(주)매경아이씨
펴낸곳	도서출판 **국자감**
지은이	편집부
주소	서울시 영등포구 문래2가 32번지
전화	1544-4696
등록번호	2008.03.25 제 300-2008-28호
ISBN	979-11-5518-112-6 13370

| 한양 프로그램 한눈에 보기 |

· 검정고시반 중·고졸 검정고시 수업으로 한번에 합격!

기초개념	기본이론	핵심정리	핵심요약	파이널
개념 익히기	과목별 기본서로 기본 다지기	핵심 총정리로 출제 유형 분석 경향 파악	요약정리 중요내용 체크	실전 모의고사 예상문제 기출문제 완성

· 고득점관리반 검정고시 합격은 기본 고득점은 필수!

기초개념	기본이론	심화이론	핵심정리	핵심요약	파이널
전범위 개념익히기	과목별 기본서로 기본 다지기	만점 전략서로 만점대비	핵심 총정리로 출제 유형 분석 경향 파악	요약정리 중요내용 체크 오류범위 보완	실전 모의고사 예상문제 기출문제 완성

· 대학진학반 고졸과 대학입시를 한번에!

기초학습	기본학습	심화학습/검정고시 대비	핵심요약	문제풀이, 총정리
기초학습과정 습득 학생별 인강 부교재 설정	진단평가 및 개별학습 피드백 수업방향 및 난이도 조절 상담	모의평가 결과 진단 및 상담 4월 검정고시 대비 집중수업	자기주도 과정 및 부교재 재설정 4월 검정고시 성적에 따른 재시험 및 수시컨설팅 준비	전형별 입시진행 연계교재 완성도 평가

· 수능집중반 정시준비도 전략적으로 준비한다!

기초학습	기본학습	심화학습	핵심요약	문제풀이, 총정리
기초학습과정 습득 학생별 인강 부교재 설정	진단평가 및 개별학습 피드백 수업방향 및 난이도 조절 상담	모의고사 결과진단 및 상담 / EBS 연계 교재 설정 / 학생별 학습성취 사항 평가	자기주도 과정 및 부교재 재설정 학생별 개별지도 방향 점검	전형별 입시진행 연계교재 완성도 평가

D-DAY를 위한 신의 한수
검정고시생 대학진학 입시 전문
검정고시 합격은 기본!
대학진학은 필수!
입시 전문가의 컨설팅으로 성적을 뛰어넘는 결과를 만나보세요!
HANYANG ACADEMY
YouTube
HANYANG
ACADEMY

모든 수험생이 꿈꾸는
더 완벽한 입시 준비!

입시전략 컨설팅 · 수시전략 컨설팅 · 자기소개서 컨설팅

면접 컨설팅 · 논술 컨설팅 · 정시전략 컨설팅

입시전략 컨설팅

학생 현재 상태를 파악하고 희망 대학
합격 가능성을 진단해 목표를 달성
할 수 있도록 3중 케어

수시전략 컨설팅

학생 성적에 꼭 맞는 대학 선정으로
합격률 상승! 검정고시 (혹은 모의고사)
성적에 따른 전략적인 지원으로 현실성
있는 최상의 결과 보장

자기소개서 컨설팅

지원동기부터 학과 적합성까지 한번에!
학생만의 스토리를 녹여 강점은
극대화 하고 단점은 보완하는
밀착 첨삭 자기소개서

면접 컨설팅

기초인성면접부터 대학별 기출예상질문
대비와 모의촬영으로 실전면접
완벽하게 대비

대학별 고사 (논술)

최근 5개년 기출문제 분석 및 빈출 주제를
정리하여 인문 논술의 트렌드를 강의!
지문의 정확한 이해와 글의 요약부터
밀착형 첨삭까지 한번에!

정시전략 컨설팅

빅데이터와 전문 컨설턴트의 노하우 /
실제 합격 사례 기반 전문 컨설팅

HANYANG ACADEMY

MK 감자유학

We're Experts

우리는 최상의 유학 컨텐츠를 지속적으로 제공하기 위해 정기 상담자 워크샵, 해외 워크샵, 해외 학교 탐방, 웨비나 미팅, 유학 세미나를 진행합니다.
이를 통해 국가별 가장 빠른 유학트렌드 업데이트, 서로의 전문성을 발전시키며 다양한 고객의 니즈에 가장 적합한 유학솔루션을 제공하기 위해 최선을 다합니다.

Valuable education content provider

KEY STATISTICS

30년+ 전통교육그룹

Educational

감자유학은 교육전문그룹인 매경아이씨에서 만든 유학부문 브랜드입니다. 국내 교육 컨텐츠 개발 노하우를 통해 최상의 해외 교육 기회를 제공합니다.

17개 국내최다센터

The Largest

감자유학은 전국 어디에서도 최상의 해외유학 상담을 제공할 수 있도록 국내 유학 업계 최다 상담 센터를 운영하고 있습니다.

15년 평균상담경력

Specialist

전 상담자는 평균 15년이상의 풍부한 유학 컨설팅 노하우를 가진 전문가 입니다. 이를 기반으로 감자유학만의 차별화된 유학 컨설팅 서비스를 제공합니다.

24개국 해외네트워크

Global Network

미국, 캐나다, 영국, 아일랜드, 호주, 뉴질랜드, 필리핀, 말레이시아 등 감자유학 해외 네트워크를 통해 발빠른 현지 정보 업데이트와 안정적인 현지 정착 서비스를 제공합니다.

2,600+ 해외교육기관

Oversea Instituitions

고객에게 최상의 유학 솔루션을 제공하기 위해서는 다양하고 세분화된 해외 교육기관의 프로그램이 필수 입니다. 2천개가 넘는 교육기관을 통해 맞춤 유학 서비스를 제공합니다.

2020 대한민국 교육 산업 유학 부문 대상 | 2012 / 2015 대한민국 대표 우수기업 1위 | 2014 / 2015 대한민국 서비스 만족대상 1위